«Vivimos en una cultura que constantemente exige más de las mujeres. Las mujeres jóvenes no están exentas de esta presión. De hecho, esta es la etapa (entre nuestra adolescencia y los treinta años) cuando estamos recién comenzando a caer presas del creciente estrés de la universidad, las redes sociales, los teléfonos móviles, las relaciones, el trabajo y la hiperactividad. Apenas salimos de la infancia y ya nos sentimos agobiadas, exhaustas, deprimidas, anegadas y agotadas. Es por eso que necesitamos la gozosa renovación del evangelio de la gracia. Y eso es exactamente lo que Shona y David nos entregan en *Renueva tu vida.* Escriben de manera afectuosa, compasiva, bíblica y práctica. ¡Aplicaré la sabiduría de este libro a mi propia vida y lo recomendaré con entusiasmo a todas las mujeres jóvenes que conozca!».

Jaquelle Crowe, redactora principal y editora en jefe, TheRebelution.com; colaboradora, The Gospel Coalition; autora, *This Changes Everything*

«He buscado por todos lados un libro que me ayude a lidiar de una manera que honre a Dios con las enfermedades relacionadas con el estrés. Tengo un montón de libros con un enfoque excesivamente espiritual sobre la depresión y las enfermedades inducidas por el estrés, o con un énfasis únicamente desde la medicina. Me esfuerzo por encontrar el equilibrio y necesito ayuda. *Renueva tu vida* viene al rescate, un libro que te busca donde tú te encuentres, sin predicar el idealismo excesivamente espiritual ni el fatalismo terrenal. Lee este libro y compártelo con tus amigas. Cambiará la manera en que entiendes la providencia de Dios en tu sufrimiento emocional y tu debilidad física, y te alentará en el camino del cuidado personal que honra al Señor y te permite servir a la familia de Dios en el largo plazo».

Rosaria Butterfield, ex profesora de inglés, Syracuse University; autora, *The Secret Thoughts of an Unlikely Convert*

«La transparencia y la amable orientación de Shona a lo largo de este libro proveen el contexto perfecto para el aliento que *Renueva tu vida* será para muchas mujeres que han experimentado un estado de agotamiento o están al borde de caer en él. Como consejera y como mujer que lo he experimentado, aprecio el enfoque holístico tanto acerca de las causas del agotamiento como acerca de su tratamiento. Shona y David Murray abordan en su libro tanto el cuerpo como el alma de manera integral, lo cual te dejará renovada, restaurada y lista para guiar a otras mujeres a través de los ríos de agua viva que fluyen del Gran Pastor de nuestras almas».

Heather Nelson, consejera bíblica; autora, *Unashamed: Healing Our Brokenness and Finding Freedom from Shame*

«El agotamiento y la fatiga no son solamente una cuestión femenina, pero como mujer puedo atestiguar que he experimentado estos mismísimos temas en los últimos años. Las exigencias sobre nuestro tiempo son muchas y vienen de todas las direcciones. ¿Cómo utilizaremos nuestro tiempo? ¿Cómo encontraremos el equilibrio? ¿Cómo conservaremos nuestro caminar con el Señor en medio de tantas cosas? Shona y David Murray entienden estas presiones y las abordan con franqueza en este libro. Basándose en su propia experiencia con la depresión y el agotamiento (y su experiencia como médica), Shona tiene un enfoque cautivador y práctico con respecto al equilibrio y el descanso que todos anhelamos (pero que nos cuesta encontrar). Si estás desesperada por encontrar alivio, hallarás aliento en *Renueva tu vida*».

Courtney Reissig, autora, *The Accidental Feminist y Glory in the Ordinary*

«Leer *Renueva tu vida* en una etapa agotadora de mi vida fue como tener una conversación llena de vida con un par de amigos llenos de gracia que han pasado por lo mismo y han podido alentarme con sabiduría práctica y bíblica».

Nancy DeMoss Wolgemuth, autora; maestra de Biblia; anfitriona, *Revive Our Heart*

ReNUEVA TU VIDA

ReNUEVA TU VIDA

Adoptando una vida al ritmo de la gracia

en un mundo de exigencias interminables

Shona Murray y David Murray

Renueva tu vida: Adoptando una vida al ritmo de la gracia en un mundo de exigencias interminables
Shona Murray y David Murray

ISBN-13: 978-1-950135-03-5 (Impreso)
ISBN-13: 978-1-950135-04-2 (Kindle)
ISBN-13: 978-1-950135-05-9 (iBook)

Publicado en © 2019 por **Proyecto Nehemías**,
170 Kevina Road, Ellensburg WA 98926
www.proyectonehemias.org

Traducido del libro *Refresh: Embracing a Grace-Paced Life in a World of Endless Demands*
© 2017 por Shona Murray. Publicado por Crossway
Traducción por Guillermo MacKenzie

Dedicado a nuestros amados hijos,

Allan, Angus, Joni, Amy, y Scot

Índice

Introducción

Agobiada. Exhausta. Deprimida. En estado de pánico. Estresada. Agotada. Deshecha. Paralizada. Anegada. Vacía. ¿Te reconoces en alguna de estas palabras? ¿Tal vez en todas?

No estás sola. Estas son las palabras más comunes que he escuchado decir a mujeres cristianas para describir sus vidas.

¿Qué pasó con las palabras *pacífica, apacible, gozosa, contenta, tranquila, descansada, renovada y plena*? ¿No te gustaría reemplazar el primer grupo de palabras con el segundo?

Parece imposible, ¿verdad? Especialmente cuando las exigencias sobre nosotras parecen multiplicarse: las tareas del hogar demandan nuestra energía, los empleadores demandan nuestras horas, la iglesia demanda nuestro compromiso, las amigas demandan nuestra presencia, los hijos demandan nuestro taxi, las tarjetas de crédito demandan nuestros dólares, los deportes de la escuela demandan nuestras tardes y nuestros sábados, el jardín demanda nuestro sudor, las obras de caridad demandan nuestras donaciones, los enfermos demandan nuestras visitas, nuestro matrimonio demanda nuestro tiempo, las relaciones demandan nuestros llamados telefónicos, los correos demandan nuestras respuestas, Pinterest demanda nuestra perfección, y suma y sigue incesantemente.

A veces quieres escaparte, ¿no es verdad? O acurrucarte y esconderte debajo de las sábanas. O taparte los oídos con los dedos y silenciar el griterío. O tal vez cerrar la puerta y deshacerte de la llave, del teléfono, y del listado interminable de tareas por hacer. Las exigencias simplemente son abrumadoras. Y hay pocas probabilidades de que cambie, pocas esperanzas de experimentar nuevamente el segundo grupo de palabras, tal vez hasta que nos jubilemos.

Me compadezco porque también he estado en ese lugar. De hecho, probablemente he estado en un lugar más profundo y oscuro que muchas de ustedes, una historia dolorosa que iré compartiéndoles en las próximas páginas. Sin embargo, a lo largo de muchos años, y atravesando muchas batallas, el Señor me ha librado misericordiosamente del primer grupo de palabras y me ha llevado a experimentar con mayor frecuencia el segundo grupo. En resumen, Dios me ha enseñado y me está enseñando a vivir al ritmo de la gracia en un mundo de exigencias interminables.

Una vida al ritmo de la gracia

¿Una vida al ritmo de la gracia? ¿Qué es eso? Es un ritmo de vida que se renueva constantemente mediante cinco fuentes distintas de la gracia divina. Primero se encuentra la fuente *motivadora* de la gracia. Solíamos ser guiados por el dinero, la perfección familiar, la belleza, la carrera o la obtención de la bendición de Dios. Pero en vez de llenarnos y satisfacernos, estas motivaciones nos consumieron y nos secaron. Ahora, diariamente echamos nuestros cántaros a las profundidades inescrutables de la gracia salvadora de Dios en Cristo para recibir generosamente de su desbordante misericordia y amor. Siendo llenas hasta desbordar con la gracia del evangelio, ahora estamos energizadas y entusiasmadas para servirle en el hogar, en el trabajo y en la iglesia, mientras nuestro corazón palpita: «Gracias, gracias, gracias».

En segundo lugar, tenemos la fuente *moderadora* de la gracia. La gracia modera nuestras expectativas acerca de nosotras mismas y de otras personas. A los pies de la cruz hemos visto nuestro pecado y nuestra pecaminosidad. Hemos aprendido que no somos perfectas ni nunca lo seremos. Por tanto, cuando fallamos y fracasamos, no nos atormentamos ni nos torturamos a nosotras mismas. En cambio, tranquilamente llevamos nuestros pecados al Calvario sabiendo que la gracia de Dios nos perdona todas nuestras imperfecciones y nos acepta amablemente como perfectas en Cristo. No necesitamos servir, sacrificarnos, o sufrir en nuestra búsqueda de la aprobación humana o divina, porque Cristo ya ha servido, se ha sacrificado y ha sufrido por nosotras. Su perfección modera nuestro perfeccionismo al recordarnos a nosotras mismas: «Aceptada, aceptada, aceptada».

Tercero, somos renovadas por la fuente *multiplicadora* de la gracia. Ya no creemos que todo depende de nosotras y de nuestro esfuerzo. Más bien, confiamos en Dios para que multiplique nuestros pocos panes y peces. No nos recostamos sin hacer nada, pero tampoco intentamos hacerlo todo. Sembramos y regamos, pero reconocemos que es Dios quien da el crecimiento. La bendición de Dios multiplica nuestro trabajo de una manera que no podría lograrse a pesar de todas las horas extras o el esfuerzo adicional. Cuán tranquilizador y relajante es reconocerlo, junto con la oración que esto genera: «Multiplica, multiplica, multiplica».

Cuarto, la fuente *liberadora* de la gracia nos ayuda a entregarle a Dios el control de nuestra vida. Confiamos en su soberanía no solo para la salvación sino para todas las áreas de la vida. Sí, seguimos trabajando con diligencia y esmero, pero la gracia liberadora nos somete humildemente a los contratiempos, los problemas y las desilusiones, aceptándolos como pruebas de nuestra confianza en el control de Dios. Cuando somos tentadas a administrar y determinar nuestra vida y la de los demás, echamos nuestro cántaro a esta fuente renovadora mientras susurramos a nuestros oídos: «Libera, libera, libera».

Finalmente, tenemos la fuente *receptora* de la gracia, cuya inspección más minuciosa revela estar compuesta de una cantidad de fuentes más pequeñas. Cada una representa uno de los dones que la gracia de Dios concede a sus criaturas en necesidad: un día sabático semanal, descanso, ejercicio físico, familia y amigos, comunión cristiana, y otros. En nuestra vida ajetreada solíamos alejar estos dones, pensando que no los necesitábamos. Pero viviendo al ritmo de la gracia, nos acercamos a estas fuentes diciendo: «Recibe, recibe,

recibe». Cuanto más reconocemos que nuestro Padre celestial diseñó y cavó estas fuentes para nuestro bien, tanto más recibimos y disfrutamos sus aguas renovadoras y refrescantes.

A lo largo de este libro abriremos estas fuentes de la gracia de Dios y aprenderemos cómo y cuándo beber de sus aguas refrescantes.

¿Sólo para mujeres?

Pero, ¿por qué escribir solamente para mujeres? ¿Los hombres no corren demasiado rápido, no asumen compromisos en exceso, no se esfuerzan demasiado y también terminan agotados? Sí, los hombres también viven así, y es por eso que mi esposo, David, ha escrito un libro para los hombres llamado *Reinicia tu vida: vivir al ritmo de la gracia en una cultura de estrés y agotamiento.* Pero a través de la experiencia personal y los años de consejería, hemos descubierto que, aunque hay mucha superposición en la experiencia de hombres y mujeres del espectro que va del estrés a la depresión, también hay importantes aspectos específicos a cada género, tanto en las causas como en las curas, que ameritan libros separados. A pesar de eso, también me gustaría que los hombres leyeran este libro, porque una mayor comprensión de las luchas específicas de las mujeres les ayudará a servir y ministrar a sus hermanas en Cristo y, juntos, transitar vidas contraculturales al ritmo de la gracia.

También los aliento a compartir el libro con sus hijas y sus amigas jóvenes, porque no son solo las mujeres de mediana edad y las de mayor edad que están sintiéndose agobiadas. La generación *millennial* (entre 18 y 33 años) tiene mayores niveles de estrés que el promedio nacional, con un 39 por ciento de encuestados que dicen que sus niveles de estrés han aumentado en el último año, un 52 por ciento que pierden horas de descanso cada mes debido a varias presiones, y un 20 por ciento de jóvenes tan deprimidos y estresados que necesitan medicación[1]. Si este es tu caso, tengo buenas noticias para ti.

---

1. Sharon Jayson, «The State of Stress in America», *USA Today*, febrero 7, 2013, http://www.usatoday.com/story/news/nation/2013/02/06/stress-psychology-millennials-depression/1878295/.

Este libro te mostrará principios, prácticas y patrones bíblicos que renovarán tu cuerpo y tu alma para que puedas comenzar a vivir una vida llena de gracia y al ritmo de la gracia en vez de sumarte a las estadísticas.

Autoría compartida

Finalmente, algunos de ustedes podrían preguntarse cómo funciona la autoría compartida y cómo se relaciona el contenido de *Reinicia tu vida* para los hombres con *Renueva tu vida* para las mujeres. ¿Qué porciones escribió David, qué porciones escribí yo, qué porciones escribimos juntos, y cómo puedes diferenciarlas? Habiendo analizado varios libros de autoría compartida, decidimos no escribir *Renueva tu vida* como «nosotros», porque está dirigido a mujeres y, bueno, ¡David no es una mujer! Tampoco nos gustaba la idea de cambiar de «yo (Shona)» a «yo (David)» cada vez que usamos material de *Reinicia tu vida.* Simplemente parecía extraño. Por tanto, aunque lo escribimos juntos, utilizamos el «yo» (Shona) a lo largo del libro. Entonces, ¿cuáles son las diferencias y superposiciones entre ambos libros?

Primero, la estructura general de ambos libros, los títulos de los capítulos y la mayoría de los temas incluidos, son los mismos en ambos libros. Tal como lo explicó David en su libro, mucha de la sabiduría que obtuvimos ha surgido a través de muchos años de vivir esto juntos, sufriendo juntos, estudiando juntos, y aconsejando juntos a otras personas, de manera que nuestro pensamiento es casi idéntico. Esta similitud en la estructura y en los temas debería ayudar a los esposos y las esposas que quieren trabajar los libros en conjunto a tener perspectivas similares, pero pudiendo también identificar diferencias importantes en las experiencias masculinas y femeninas del estrés, el agotamiento, la ansiedad y la depresión.

Segundo, en *Renueva tu vida,* mi historia sustituye la historia de David. En *Reinicia tu vida,* David contó la manera en que el agotamiento casi lo lleva a la muerte dos veces. A lo largo de *Renueva tu vida* he reemplazado aquello con mi propia historia dolorosa de cómo caí en un hoyo profundo de depresión y ansiedad, y cómo

Dios me está liberando por misericordia.

Tercero, he incorporado el aspecto femenino a las secciones masculinas. Aunque inicialmente pensamos que podíamos escribir un libro para mujeres con tan solo un par de retoques en el libro para hombres, pronto nos dimos cuenta de que, pese a las similitudes significativas, había múltiples diferencias importantes en la experiencia femenina del agotamiento. Esto conllevó mucho más trabajo del que habíamos pensado, pero ambos estuvimos de acuerdo en que era importante hacerlo tan femenino como fuera posible para maximizar su utilidad. El aspecto femenino también incluyó la adición de algunas secciones que no tienen su contraparte en *Reinicia tu vida.*

Aunque ambos estábamos un poco nerviosos acerca de cómo encaminar un proyecto compartido como este, como es habitual Dios nos sorprendió y usó la experiencia para acercarnos más y concedernos una apreciación siempre creciente de la hermosa complementariedad del esposo y la esposa en el plan de Dios para el matrimonio. Cuando estábamos terminando de escribir, celebramos nuestros 25 años de casados y nos dimos cuenta de que escribir *Renueva tu vida* había sido un hermoso recordatorio de la bondad y la misericordia de Dios acompañándonos todos los días de nuestra vida. Esperamos y oramos que te beneficies de la sabiduría que Dios se ha agradado en enseñarnos a lo largo de los años y que lo que hemos aprendido te renueve, te guíe a una vida al ritmo de la gracia en un mundo de exigencias interminables, y te ayude a experimentar el equilibrio saludable de la motivación de la gracia y la moderación de la gracia tal como lo ejemplifica el apóstol:

> Por tanto, también nosotros, que estamos rodeados de una multitud tan grande de testigos, despojémonos del lastre que nos estorba, en especial del pecado que nos asedia, y corramos con perseverancia la carrera que tenemos por delante. Fijemos la mirada en Jesús, el iniciador y perfeccionador de nuestra fe, quien, por el gozo que le

esperaba, soportó la cruz, menospreciando la vergüenza que ella significaba, y ahora está sentado a la derecha del trono de Dios (Heb 12:1–2).

Estación 1

Reconocer la realidad

Yo estaba hecha trizas. Las oleadas de dolor mental me zarandeaban, y apenas me permitían respirar. Me angustiaba ver cómo una vida que había estado tan llena de felicidad, tan llena de bendiciones de Dios, podía llenarse de tanta impotencia y desesperanza. Durante cinco meses había luchado con todas mis fuerzas contra la posibilidad de caer en depresión. Después de todo, parte de mi trabajo como médica de familia era ayudar a los pacientes a recuperarse de la depresión. ¿Por qué ahora estaba escuchando mi historia en sus historias? ¿Por qué tenía tanto miedo de verme a mí misma en sus historias?

«Sólo los débiles se agobian y agotan. Sólo se deprimen los cristianos que tienen un defecto genético o que han experimentado una verdadera tragedia. Los cristianos comunes como yo no se deprimen. Debo ser una apóstata que está deprimida porque Dios me ha abandonado. No hay esperanza para mi vida. Nada ni nadie puede resolver mi problema. Aun si pudieran, igualmente no quiero vivir sin Dios. Pero ya ni siquiera sé quién es. No sé dónde está. No lo veo por ninguna parte. ¿Por qué me abandonó? ¿Me rescatará alguna vez? ¿O moriré en la desesperación?».

Mi mente daba vueltas así, cada minuto, cada día, siendo torturada por pensamientos aterradores de Dios y de mi propio destino trágico. Hasta que un día en marzo de 2003 dije estas palabras a mi esposo David en un mar de lágrimas: «Soy un barco estrellado contra las rocas. ¡Mi vida está arruinada!». En ese momento algo lo tocó que nos embarcó a ambos en un camino que cambiaría nuestras vidas, un camino que al tiempo renovaría mi vida y me enseñaría a adoptar una vida al ritmo de la gracia en un mundo de exigencias interminables.

Ataques de pánico

En los meses que llevaron a mi naufragio, había estado completamente exhausta y había perdido por completo el apetito. Simplemente no tenía deseos de comer. Una noche intenté descansar y leer un libro cuando repentinamente, de la nada, sentí en mi interior un terror, como si algo terrible estuviera a punto de ocurrir. Mi corazón estaba palpitando sin ninguna razón aparente, y no podía lograr que se calmara. En las siguientes semanas tuve varios de estos episodios horribles.

Estaba muy triste y lloraba sin ninguna razón lógica. La soledad me envolvía incluso cuando estaba rodeada de seres queridos. Me volví obsesiva en mis pensamientos, a veces meditando en acontecimientos tristes durante varias horas sin explicación. Los episodios de terror aparecían con mayor frecuencia, de manera que estaba constantemente aterrada. Mi corazón tenía muchas palpitaciones, a veces durante horas. La distracción parecía la mejor respuesta, así que simplemente me mantenía ocupada en un intento de escaparme de estas sensaciones extrañas y terribles, pero también porque tenía demasiadas cosas que hacer.

A esta altura mi entusiasmo había desaparecido. El cambio de pañales, las comidas, las compras, la crianza de dos animosos hijos, el cuidado de un activo niño pequeño, y otro bebé en camino habían creado un horizonte temeroso. Les tenía miedo a las mañanas, y quería esconderme debajo de las sábanas; pero un fuerte sentido de las necesidades de los demás me mantenía en constante movimiento. Pasaba semanas enteras casi sin poder dormir y lloraba mucho más. Nada me interesaba. Me sentía una mala madre, una mala esposa, una mala hija, y una mala cristiana. Me sentía sofocada por la culpa provocada por miles de tareas incumplidas, o llevadas a cabo de manera deficiente según mis estándares. Y a pesar de que corría a máxima velocidad, nunca lograba ver la línea de meta.

Envuelta en desesperación

Concentrarme en mis tiempos devocionales era cada vez más difícil, y sentía que el Señor estaba lejos. El cansancio mental me tenía atrapada. Una noche en particular, mientras intentaba orar y me olvidaba constantemente de lo que estaba pensando o diciendo, comencé a sentir que me caía por un precipicio; caía cada vez a mayor profundidad, y no veía el fondo. Todo mi mundo emocional se caía a pedazos. A lo largo de la noche, me dormía y me despertaba constantemente. Las imágenes y los pensamientos más tenebrosos acerca de Dios llenaron mi mente como una fuente imparable. Yo respondía con versículos de salmos bien conocidos, los cuales repetía una y otra vez en un intento desesperado de aferrarme a Dios y a sus promesas. Clamaba y clamaba al Señor, pero la oscuridad de la desesperación me cubría. Como una pequeña barca en una tormenta impetuosa, habiendo perdido su dirección, mi mente estaba quebrada, mis emociones paralizadas, y las olas de desesperación me hundían sin misericordia.

Sin descanso

Durante esta etapa oscura me quedaba dormida de puro agotamiento, pero luego despertaba de inmediato unos minutos más tarde, incapaz de detener la furia de tormento mental. Llegué a la conclusión de que el Señor me había entregado al diablo, que no podía ser una cristiana, y que todo lo que quedaba era caer en el infierno. Mucho antes de que sonara la alarma cada mañana, me despertaba repentinamente como un pájaro sobresaltado. Mientras los demás en la casa dormían, yo tenía que levantarme y escaparme de esta aflicción. Olas de pensamientos torturadores golpeaban contra las costas de mi corazón: «¿Qué ocurrirá con mis hijos en su camino hacia la eternidad? ¿Quién los educará? Qué tragedia de consecuencias inconmensurables: una madre que perdió su mente y su alma. Tendrán que vivir con eso. ¿Y qué ocurrirá con David, mi pobre esposo, que ve que me pasa algo terrible pero no puede llegar a entenderlo? ¿Qué ocurrirá con el bebé que llevo en mi vientre, con quien no siento ninguna conexión emocional?».

Realidad contra irrealidad

Con una intensidad feroz intenté enfocarme en versículos reconfortantes de la Biblia pero al hacerlo me volví cada vez más obsesionada. Torné todo el aliento de la Biblia en mi contra, y apliqué todas sus condenas hacia mí misma. Aumentando mi cansancio mental, exploré libros que pensé que podrían rescatarme de estas profundidades oscuras: libros como *Gracia abundante para el mayor de los pecadores* de Juan Bunyan, *El cristiano con toda la armadura de Dios* de William Gurnall, y *Depresión espiritual* de Martyn Lloyd-Jones*. En estos libros encontré algunas verdades que mantuvieron viva mi

* Nota del traductor: Estos libros han sido traducidos al español bajo los títulos mencionados. Sus títulos en inglés incluidos en el original son: *Grace Abounding to the Chief of Sinners* de John Bunyan; *The Christian in Complete Armour de William Gurnall; y Spiritual Depression* de Martyn Lloyd-Jones.

esperanza, pero todo era demasiado intenso y agotador.

Tenía destellos de realidad, pero solo ocasional y momentáneamente. Ciertamente el Señor dijo: «Nunca te dejaré; jamás te abandonaré» (Heb 13:5). Aquietó la tormenta para los discípulos. Nunca echaría fuera a alguien que lo busca sinceramente. ¿Qué había ocurrido con los últimos veinticinco años de mi vida cristiana? Dios nunca salva y luego abandona. Ese era mi debate cotidiano. Pero tan pronto como despertaba a la realidad, toda esperanza era aplastada por pensamientos delirantes, sentimientos subjetivos e irrealidades engañosas.

El hermoso sol radiante y el cánto de las aves de primavera eran una agonía. La belleza del cielo nocturno y la variedad de estrellas, que daban testimonio acerca de un fiel Creador, solo servían para quebrantar aún más mi corazón. Me ponía a pensar en mi infancia, cuando con frecuencia me sentaba fuera de mi casa en las altas montañas de Escocia mirando hacia el cielo y cantando las palabras del Salmo 8:3–4:

> Cuando contemplo tus cielos, obra de tus dedos,
> la luna y las estrellas que allí fijaste, me pregunto:
> «¿Qué es el hombre, para que en él pienses?
> ¿Qué es el ser humano, para que lo tomes en cuenta?».

Pero ahora, en vez de esa infancia libre y feliz, la vida estaba acabada. Había perdido al Señor, si alguna vez lo había tenido. Se había ido para siempre. Ya no había esperanza alguna.

¿Problema espiritual?

Como médica de familia, yo había tratado a muchas personas en situaciones similares, y si hubiera escuchado mi historia en el consultorio, habría brindado objetivamente este diagnóstico: «Mentalmente abatida y severamente deprimida». Sin embargo, mi lado subjetivo, mucho más persuasivo y persistente, me convenció de que mi problema era espiritual, una falta de voluntad o confianza espiritual. Si tan sólo pudiera tener más fe en Dios, entonces todo estaría bien. Al fin y al cabo, «todo lo puedo en Cristo que me fortalece» (Fil 4:13). Pero me encontraba en el ojo de la tormenta, debilitada y desorientada, y ese no era el mejor lugar para llevar a cabo un análisis con precisión.

Con el tiempo, cuando finalmente me estrellé contra las rocas en marzo de 2003, David y yo decidimos llamar a mi padre, un pastor con cincuenta años de experiencia quien ciertamente podría encontrar mi problema espiritual. Sin embargo, cuando escuchó mi historia, estaba convencido de que no era tanto un problema espiritual sino un problema mental y físico con consecuencias espirituales. Él dijo que, debido a muchos factores, incluyendo mi agotamiento y estrés prolongado, mi cuerpo estaba fatigado y mi mente agotada. Los procesos normales físicos y mentales estaban alterados y, como consecuencia, lo más precioso en mi vida estaba profundamente afectado: mi relación con el Señor. Ese fue un enorme punto de inflexión para David y para mí, y llevó a que Dios abriera las puertas para una maravillosa recuperación y una hermosa renovación de mi vida que quiero compartir contigo en el resto de este libro.

Aunque tu historia puede no ser tan seria y severa como la mía, mi experiencia posterior conociendo y aconsejando a otras mujeres me ha convencido de que muchas mujeres cristianas están intentando hacer lo que casi me destruye a mí; es decir, llevar una vida agobiante a un ritmo insostenible y miserable. Aunque no todas ustedes terminarán estrelladas contra el suelo, sintiéndose cerca de la muerte como yo, muchas estarán sufriendo en algún punto de este espectro:

estresada —> ansiosa —> agobiada —> agotada —> triste —> deprimida —> al borde del suicidio

Por la gracia de Dios, mi carrera no terminó allí, y la tuya tampoco necesita terminar así. Ven conmigo al Gimnasio *Renueva tu vida* y aprende conmigo a adoptar una vida al ritmo de la gracia en un mundo de exigencias interminables.

Gimnasio *Renueva tu vida*

Generalmente cuando visitamos un nuevo gimnasio, queremos subirnos de inmediato a todas las máquinas modernas y empezar a ejercitar. Pero la primera estación en este gimnasio no tiene equipos de acondicionamiento. Más bien es un análisis personal detallado para identificar nuestras debilidades. En el pasado, yo no apreciaba cuán importante era esto.

Cuando me mudé de Escocia a los Estados Unidos hace diez años, me topé con el fenómeno de los fanáticos del acondicionamiento físico en una escala completamente diferente. Toda ciudad estadounidense parecía hacer alarde de tener múltiples lugares maravillosos de acondicionamiento con mujeres vestidas de lycra y auriculares en sus oídos levantando pesas, sudando a más no poder, y agitando batidos, no deliciosos, sino batidos proteicos. Los nombres de gimnasios como Fitness de Elite y Planeta Fitness evocaron en mi mente cierto mundo surreal donde todos eran como la entrenadora Jillian Michaels: super-saludable, super-delgada, super-hermosa y nunca está cansada.

Finalmente, David y yo sucumbimos al despliegue publicitario y nos inscribimos para lograr dos cuerpos hermosos. Tuvimos una breve sesión gratuita con un instructor personal, lo cual derivó simplemente en conseguir una hoja fotocopiada de ejercicios idénticos. Sin preguntas, sin evaluación, sin análisis de las áreas de debilidad o problemas particulares. Y así fuimos, levantando pesas, esperando grandes músculos (David) y perdiendo algo de peso (yo) en apenas unas pocas sesiones. Pero nada de eso ocurrió: ni un poco de músculo, ni un kilo perdido. Muy pronto todo se esfumó, excepto el desagradable contrato de dos años.

Seis años más tarde intentamos nuevamente, esta vez en un gimnasio diferente y esta vez comenzamos con una sesión detallada de preguntas y respuestas, y un análisis de lesiones y debilidades. David incluso fue conectado a una computadora que medía varios factores físicos e imprimió una compleja serie de gráficos y cuadros para mostrarle en qué necesitaba trabajar. Recientemente, cuando inscribí para un programa de ejercicios a Joni, mi hija diabética de catorce años, el instructor dedicó toda la primera sesión y parte de la segunda simplemente a *hablar,* haciendo múltiples preguntas y realizando evaluaciones, mientras todos los demás en el gimnasio estaban ocupados *haciendo.* Yo podía ver la frustración en Joni, pero ahora entiendo cuán importante fue esto para ayudarla a identificar problemas y debilidades, con una perspectiva de producir un plan de ejercicios diseñado personalmente para las necesidades de cada individuo y para su máximo beneficio.

Es por eso que la primera estación en el Gimnasio *Renueva tu vida* se llama «Reconocer la realidad»: remueve nuestras defensas y nuestros pretextos, y nos hace enfrentar la realidad. Esta evaluación revelará nuestras necesidades, pondrá de relieve nuestras señales de peligro, nos ayudará a identificar problemas y debilidades, conectará temas que no sabíamos que estaban relacionados, y nos motivará a emprender las otras nueve estaciones en el gimnasio. Así que detengámonos un momento, conectémonos para recibir ciertos diagnósticos, y evaluemos el daño que nuestro ritmo ha estado causando en varios aspectos de nuestra vida. No todos estos aspectos serán aplicables en tu caso, pero toma nota de aquellos que te atañen, y más tarde te diré cómo interpretarlos.

Revisión

A muchas mujeres les resulta útil escribir o marcar estas señales y síntomas. Puede ser algo personalmente liberador, pero también puede hacer que el análisis sea más objetivo y proveer un punto de referencia para comparar cambios para mejor o para peor en el futuro. Otra manera de aprovechar al máximo el siguiente listado es analizarlo junto con tu esposo o una amiga íntima, ya que puede ser difícil hacer una revisión de ti misma con precisión. Como lo explicó mi amiga Sara:

> He luchado una y otra vez con la depresión y la ansiedad en varios niveles en mi vida, y en los momentos más oscuros había una parte dentro de mí que sabía objetivamente qué me estaba ocurriendo, pero las mentiras en tu mente son tan fuertes en medio de la oscuridad que, aunque lo veas, no lo crees.

Advertencias físicas

Tal como correr demasiado rápido alrededor de la pista con el tiempo producirá problemas físicos, también correr la carrera de la vida a una velocidad demasiado rápida tendrá consecuencias físicas. Más del 70 por ciento de los estadounidenses experimentan síntomas inducidos por el estrés, tales como dolores de cabeza, retortijones de estómago, dolor en las articulaciones, dolor de espalda, úlceras, dificultad al respirar, irritación en la piel, colon irritable, dolor en el pecho y palpitaciones[2]. Ciertamente yo tenía algunos de estos síntomas, y también recuerdo

2. «Stress Statistics», sitio de internet de Statistic Brain, octubre 19, 2015, http://www.statisticbrain.com/stress-statistics/.

muchas pacientes que vinieron a consultarme por múltiples y variados dolores corporales para los cuales no podía encontrarse ninguna explicación física, sin importar la cantidad de análisis y estudios que hiciéramos. Sus vidas estaban simplemente demasiado aceleradas y repletas para sus cuerpos y sus mentes. Ese estado de agotamiento se llama estar «quemado» por una razón: todo el estrés provoca una inflamación crónica, una especie de fuego en nuestras células que arde con más temperatura, con más fuerza y durante más tiempo cuanto más combustible le agreguemos con nuestro estilo de vida frenético.

El hecho de sentirnos cansadas, exhaustas y aletargadas todo el tiempo son advertencias tempranas a las cuales deberíamos prestar atención. Aunque dormir parecería la cura obvia, a mí me costaba dormir. Me despertaba con frecuencia. No podía volver a dormir y, por tanto, sin importar cuántas horas estuviera en la cama, nunca estaba descansada o renovada. Es posible que otras personas no puedan hacer otra cosa que dormir. Como me dijo una mujer: «Generalmente, cuando estoy estresada o ansiosa, siento que podría dormir para siempre. Yo creo que podría ser una necesidad tanto física como emocional; como si prefiriera quedarme en cama en vez de enfrentar el día».

También deberían preocuparnos estas señales: aumento de peso por comer demasiado, comer en tiempos irregulares, consumir comida no saludable, picar algo constantemente, y no hacer ejercicio intenso. En otras personas podría darse la disminución de peso perdiendo el apetito o saltándose comidas.

Advertencias mentales

Lo siguiente a examinar son nuestros pensamientos. ¿Recuerdas cuán difícil me resultaba concentrarme en algo? Tal vez tú también estés leyendo los mismos versículos una y otra vez durante tu tiempo devocional, pero luchas por recordar lo que lees. Es difícil incluso escribir tu listado de compras o priorizar tu listado de tareas pendientes. Simplemente terminas mirando tu iPad o tu computadora. O tal vez tengas un plan, pero te distraes constantemente con interrupciones e indecisiones, y nunca llegas a la tienda o al primer asunto en tu listado de tareas. El turno médico que deseabas cambiar ahora tiene que esperar hasta mañana porque el consultorio está cerrado. El pollo sigue en el congelador, así que sale otro plan para la cena. Llegarás nuevamente tarde a la cita de café con tu amiga y debes correr al auto. No puedes decidir qué es lo próximo que harás: sacar la basura, hacer la cama, comenzar la cena, alimentar al perro, revisar el correo o ir al mercado. Estás olvidando cosas que solías recordar fácilmente. Ahora, con una temible frecuencia, se te escapan de la mente citas, cumpleaños, aniversarios, números de teléfono, nombres y fechas límite. Escribes tu listado de compras, luego lo olvidas en casa. Dedicas incontables horas a repensar tus elecciones y decisiones.

O tal vez, como me pasa a mí, pasas horas y horas obsesionada con lo mismo. Es como repetir un correo de voz que simplemente no puedes apagar. La mayoría de tus pensamientos son negativos. Te concentras en lo malo, lo triste, y no puedes ver lo alegre. Malas noticias, malas personas, y siempre: «Soy una mala cristiana». Eres pesimista con respecto a tu iglesia, tu familia, tu trabajo y el país. Te estás volviendo hipercrítica de ti misma y de los demás. Una joven madre me contó su pesadilla con pensamientos obsesivos:

> Mi familia se enfermó justo luego de nuestra mudanza reciente. Después de eso, tenía pensamientos obsesivos acerca de mis hijos vomitando. No los podía quitar de mi mente. *¿Alguien estaba por vomitar? ¿Qué era ese ruido extraño que hacía*

el bebé? ¿Está por vomitar? Iba a despertar a los niños después de la siesta, en parte esperando encontrarlos enfermos, aunque no había razón para pensar que lo estarían. Y no podía quitar esa imagen de mi cabeza. Varias veces durante el día me imaginaba a los niños vomitando o una parte de mí esperaba que comenzaran a vomitar.

Advertencias emocionales

Pasando a las emociones, te sientes triste la mayor parte del tiempo, a menudo al borde de las lágrimas, y a veces lloras sin una razón lógica. Cosas pequeñas te hacen llorar. Recuerdo estar llorando en el auto porque otro conductor se metía en un espacio para estacionar antes que yo cuando estaba lista para ubicarme allí. Lloraba si los niños peleaban o se portaban mal, porque me sentía culpable. La risa parece un recuerdo distante, simular parece cada vez más difícil, y escuchar a otros reír es doloroso. El entumecimiento emocional se vuelve lo normal.

Te despiertas preocupada, vives preocupada, y te acuestas preocupada. Tu corazón palpita y tu estómago se retuerce cuando piensas en las decisiones del día y las expectativas de la gente. Temes que tus hijos se alejen de Dios y terminen en vidas inmorales e impías. El futuro no ofrece esperanzas, y sientes que no vales nada. Comienzas a pensar que tal vez sería mejor si no estuvieras aquí.

Por si esta sobrecarga emocional no fuera suficiente, nos encontramos recibiendo otras cargas emocionales que Dios no nos ha llamado a soportar. Las historias de tristeza y necesidad en las redes sociales y otros medios capturan nuestra mente y nuestro corazón, y todo pedido de oración parece estar dirigido personalmente a nosotras.

Advertencias relacionales

La frustración, la irritabilidad y la impaciencia están hirviendo en tu interior y a menudo entran en erupción. Estás enojada con tu esposo, tus hijos, el pastor, el vendedor y ese otro conductor.

Socializar es demasiado trabajo, y todas las amistades están en el pasado. Piensas en contratar niñeras y organizar tu casa, pero hacerlo genera demasiados inconvenientes. O llegas exhausta del trabajo y preferirías acurrucarte frente a la televisión o dormir en vez de conectarte con cualquiera de tus amigas. Aunque solías disfrutar la interacción con las personas, ahora las evitas porque no tienes la energía para hablar o escuchar, y «de todas formas, es probable que no me quieran realmente». Cada vez estás más aislada y solitaria. Como dijo una de mis amigas: «Me sentía sola aunque estuviera rodeada de personas».

Advertencias vocacionales

Te encuentras abrumada con tu llamado. Si eres una madre, encuentras poca alegría en tus hijos e incluso te preguntas si merecen que les dediques tanto esfuerzo. Te sientes atrapada en un circuito interminable de aparentemente triviales cambios de pañales, comidas, almuerzos, pisos sucios, niños llorando, ropa sucia, y generalmente siendo la criada de todos. No hay horario de salida, y a la noche caes en cama exhausta, cansada, sin sentir ninguna satisfacción, y temiendo que llegue el siguiente día. Te sientes responsable por cada accidente, problema, ataque de llanto, episodio de discusiones, y toda falla de carácter en tus hijos.

Si trabajas fuera de casa, probablemente también allí te estás retrasando en tus tareas, sintiéndote constantemente abrumada. Estás tomando atajos y cometiendo cada vez más errores. Las malas decisiones ocurren fácilmente y con frecuencia. La indecisión genera dilación, lo cual genera indecisión. En vez de motivación e impulso, hay apatía y pasividad.

A pesar de todo esto, te resulta difícil decir que no, y aceptas todo pedido que te llega: recolectar fondos para la escuela, hacer comidas para familias necesitadas en la iglesia, guiar el estudio bíblico de mujeres, ser voluntaria en la guardería, llevar a tus hijos a los varios eventos deportivos, asistir a múltiples comités, y decir sí a trabajos que sabes que no puedes terminar a tiempo. Te sientes culpable o ansiosa cuando no quedas exhausta y te consideras perezosa si te tomas cinco minutos para sentarte y hacer una pausa.

Advertencias morales

Estás leyendo libros o mirando programas y películas con lenguaje e imágenes que nunca has tolerado en el pasado. Tienes fantasías acerca de relaciones íntimas con hombres con quienes no estás casada, o tal vez estás comenzando a coquetear con hombres en el trabajo o en la iglesia. Estás torciendo la verdad en las conversaciones, exagerando o editando lo que dices como sea conveniente. Te estás medicando a ti misma (y a tu conciencia) gastando, bebiendo y comiendo en exceso, o pasando demasiado tiempo en Facebook. La mayoría de tus conversaciones incluyen criticar a otras personas.

Advertencias espirituales

¿Tus momentos devocionales son cada vez más breves? ¿O ya no existen? ¿Revisas el correo y las redes sociales antes de tu devocional o incluso mientras lo realizas? ¿Dedicas más tiempo a conversar con extraños en Facebook que en comunión con Dios? ¿Estás comenzando a faltar a la iglesia por cualquier razón que se te ocurra? ¿La iglesia te parece aburrida, los sermones te hacen dormir, y la comunión con otros cristianos te resulta una carga? Si hay muchos sí aquí, deberían sonar varias alarmas.

Otra advertencia espiritual es vivir descontentas. Lindsay, una joven cristiana, me dijo que ha aprendido a buscar evidencias de insatisfacción en su vida, que a menudo surgen de lo que ella llama su «mentalidad idealista». Por ejemplo, «en una relación, si las cosas no van como había imaginado o deseado, a menudo me encuentro insatisfecha. Esto produce ansiedad, una actitud incorrecta e ingratitud».

Evaluación

Esa fue una revisión difícil, ¿no es verdad? Pero, ¿qué sentido tiene toda la información? Tal vez tienes el visto bueno, estás preparada y lista para correr nuevamente. Pero si estás leyendo este libro, es más probable que hayas notado algunas señales de preocupación, y probablemente sean muchas. ¿Qué haces ahora? Lo peor que puedes hacer es ignorar estas advertencias y seguir adelante. Antes bien, necesitas detenerte y analizarlas seriamente, evaluándolas en tres dimensiones.

1. *Amplitud:* Dado este rango amplio de síntomas, ¿cuántos de ellos estás experimentando? Todos tendrán algunos ítems marcados; así es la vida normal en un mundo anormal. Pero lo que realmente debería captar tu atención es tener más de la mitad de esos síntomas. Incluso si tienes algunos pocos, deberías prestarles atención no sea que se multipliquen. En ese caso, puedes utilizar este libro más bien como una medida preventiva.

2. *Profundidad:* Intenta medir la seriedad de cada síntoma marcado considerando su intensidad del uno al cinco, siendo cinco lo más grave. Obviamente las alarmas deberían estar sonando si hay varios síntomas en nivel tres, cuatro o más.

3. *Duración:* Todas las personas atravesamos tiempos difíciles; tenemos días tristes o incluso una semana triste. Nuevamente,

así es la vida en un mundo caído. Sin embargo, si estos síntomas han permanecido por algunas semanas o más, entonces realmente necesitas tomar medidas con urgencia y comenzar a lidiar con ellos.

Entonces, tienes tu listado impreso, y las mediciones son preocupantes, los gráficos son inquietantes, la evaluación es alarmante. Si no realizas ajustes a tu vida, puedes oscilar en el espectro desde estresada a ansiosa y agobiada, o incluso a triste, deprimida, y, en última instancia, suicida. Estás en un verdadero peligro de estrellarte, y debes reducir la velocidad. El Gimnasio *Renueva tu vida* está aquí para ayudarte. Sí, tendrás que tomar algunas decisiones difíciles para inscribirte, pero del otro lado hay una vida a un ritmo mucho mejor y mucho más placentera.

O tal vez estés tentada a desesperar. No debes rendirte. Así como Dios me detuvo en el camino para enseñarme algunas lecciones preciosas para toda la vida, por las cuales estaré eternamente agradecida, el hecho de que Dios haya traído este libro a tu vida y te haya alertado del peligro en el que te encuentras debería suscitar una gran esperanza. Si Dios me rescató a mí, puede rescatarte a ti, renovar tu vida y hacerte regresar al camino con una mejor salud física, emocional, relacional, moral y espiritual, y con una buena esperanza de tener un final glorioso.

Al avanzar por las estaciones del Gimnasio *Renueva tu vida,* recuerda que Dios es el dueño del gimnasio y él mismo es el instructor. Escoge individualmente a sus atletas y los aprecia mucho. Su meta principal es llevarte a la última estación, la resurrección, que no es simplemente una experiencia al final de la vida; puede llegar a ser una experiencia cotidiana en tu vida. Sí, hay dolor a lo largo del camino, pero la mano tierna y consejera de Dios te guiará a lo largo del proceso, y tal vez traigas a otras personas contigo a este gimnasio en los próximos días. «Él, en cambio, conoce mis caminos; si me pusiera a prueba, saldría yo puro como el oro» (Job 23:10). No solo nos está probando, sino que nos está mejorando.

Estación 2

Revisar

Mientras crecía, siempre corría para todas partes, y siempre corría rápido. El hecho es que no podía simplemente caminar. ¿Por qué caminar si puedes correr? Había una vida que esperaba y muchas cosas por hacer. Corría a la escuela y corría volviendo de la escuela. Corría a la casa de mi amiga y corría de regreso a casa para cenar. Siendo niña, el hecho de correr implicaba ser libre. Me hacía sentir bien, libre, y el cansancio nunca era un obstáculo. Aunque los campos alrededor de mi casa en la isla escocesa tenían varios cercos y portones, estos nunca eran obstáculos para mí. Simplemente los saltaba. ¿Por qué perder tiempo abriendo el portón?

Después, en mi adolescencia, corría en una verdadera carrera de larga distancia. Había doscientas niñas, todas ataviadas con elegantes uniformes, todas excepto mis compañeras y yo; nuestra pequeña escuela rural no tenía uniformes. La pistola disparó, y yo hice lo que siempre hacía. Simplemente corrí y corrí, sin prestar atención a nada más; subiendo la colina, alrededor de los árboles, mirando solamente hacia adelante hasta que estaba corriendo sola. Unos pocos kilómetros más tarde, había ganado mi primera carrera real sin demasiado esfuerzo. Y eso continuó en las carreras subsiguientes. Pensé que siempre ganaría si simplemente corría tan rápido como pudiera desde el comienzo hasta el final.

Eso ocurrió hasta que comencé a subir de nivel, la presión era más fuerte, y la mera fuerza de voluntad no obtenía la victoria. De hecho, cuando subí un nivel más arriba, apenas lograba terminar la carrera. Fui elegida para competir en una carrera contra corredoras experimentadas y bien entrenadas que conocían la competencia mejor que yo. Pero el camino parecía sencillo, y pronto estaba corriendo a toda velocidad. Corriendo tan rápido como podía, me alejé del grupo en los primeros 800 metros. A esa altura, comencé a preocuparme porque el resto del grupo se venía acercando. Mientras se acercaban cada vez más, mis piernas se esforzaban cada vez más. Era en vano. Simplemente no tenía la fuerza suficiente en las piernas, por más esfuerzo que hiciera.

¿Qué estaba ocurriendo? Nunca antes había experimentado esto. La realidad golpeó mis piernas y mi fuerza de voluntad como una granizada en un día soleado. No había nada que pudiera hacer. Las que iban liderando me sobrepasaron, y yo no podía reaccionar. Mis piernas estaban pesadas, mis pulmones estaban ardiendo, y luchaba por continuar hasta la meta.

¿Qué salió mal? Obviamente corrí demasiado rápido demasiado pronto y quemé todas mis reservas. Mi ritmo estaba bien para una carrera corta, pero era imprudente en una carrera larga contra corredoras experimentadas. La determinación de mi voluntad no estaba a la altura de ellas. Sencillamente, tenía un plan de carrera defectuoso.

Esa experiencia dolorosa hirió mi ego así como mi incipiente carrera de atletismo, pero el malestar y la angustia pronto pasaron. No sabía entonces que veinte años más tarde experimentaría otro estado de agotamiento que sería mucho más serio, duradero y perjudicial, incluyendo no solo mi cuerpo sino también mi mente, mis emociones y mi alma.

Repetición

La sabia respuesta a una carrera mal corrida es observar una «repetición» e intentar descubrir lo que salió mal, y solo después de eso intentar la próxima carrera. Pero algunas de nosotras, incluida yo, tenemos una tendencia natural a dejar atrás rápidamente el pasado, olvidar el dolor, calzarnos las zapatillas nuevamente, y regresar a la pista tan pronto como sea posible. Como lo expresó otra amiga:

> Demasiadas cosas apiladas, una tras otra, y no me detuve para lidiar realmente con mi estrés o mis emociones. Simplemente bajé la cabeza y seguí adelante, y seguí y seguí, lo cual puedes hacer durante algún tiempo, pero no puedes mantenerlo a largo plazo sin esperar ver ciertos perjuicios. En algún momento no puedes ignorar más el estrés y esperar que se resuelva solo.

El Gimnasio *Renueva tu vida* no lo permite; gracias a Dios. Nos obliga a detenernos, mirar hacia atrás, ver la repetición, enfrentar lo que salió mal, y entender las causas de nuestro estrés, nuestra ansiedad y nuestra depresión. Así como existen múltiples factores que pueden afectarnos negativamente en una carrera (nuestro estado físico, el consumo de alimento y bebida, nuestro descanso, nuestro precalentamiento y nuestro calzado), también puede haber múltiples factores que nos afectan negativamente en la carrera de la vida.

Sin embargo, antes de mirar esa repetición e identificar estos factores, cavemos un poco más profundo y preparemos algunos fundamentos bíblicos que nos ayudarán a entender la interacción completa de nuestro cuerpo, nuestra mente y nuestra alma. Eso nos ayudará a evitar que tomemos enfoques simplistas, teniendo en cuenta solo el cuerpo, solo la mente, o solo el alma, para nuestros problemas y sus soluciones. También hará surgir nuestra paciencia desde nuestra teología, no sólo produciendo una mayor precisión sino también proveyendo una motivación más duradera y profunda que los simples consejos de autoayuda.

Teología práctica

Muchos problemas prácticos están arraigados en una teología errónea. Otros problemas prácticos son el resultado de no aplicar la teología a nuestra vida. Yo me equivoqué en un área en particular: no apliqué la doctrina de que Dios es nuestro Creador. Durante mis estudios de medicina, me enseñaron constantemente la teoría de la evolución. No obstante, ni una vez la acepté como una teoría válida. Ni una vez dudé de que Dios había creado el mundo. Sin embargo, mirando hacia atrás, puedo ver que no aplicaba totalmente esa doctrina en mi vida. Había un bloqueo entre lo que creía en mi mente y lo que hacía en algunas partes de mi vida. Permíteme explicarlo.

Somos criaturas de Dios

La verdad de que Dios es nuestro Creador es la primera verdad que encontramos en la Escritura, y está en primer lugar porque es muy importante. Recordar que Dios es nuestro Creador y que somos sus criaturas tiene muchas implicaciones prácticas. Significa que somos finitos y dependientes. Significa que debemos vivir de una manera que respete el hecho de que Dios nos ha hecho con limitaciones. ¿Pero dónde descubrimos algo acerca de nuestras limitaciones? De la Palabra de Dios aprendemos la verdad general de que somos criaturas limitadas. Pero descubrimos los detalles de nuestras limitaciones mediante el mundo de Dios y nuestra observación personal.

Con «el mundo de Dios» me refiero a los hallazgos de investigaciones que en su misericordia Dios ha permitido que los científicos descubran acerca de cómo funcionan mejor los seres humanos. Por ejemplo, una investigación reciente del Instituto Nacional de Envejecimiento descubrió que el ejercicio promueve el crecimiento de células del cerebro y mejora la memoria[3]. ¡Eso me hizo mover! Este tipo de información es una expresión del amor de nuestro Creador hacia nosotros y debería leerse con las lentes de la Escritura para asegurarnos de que coincide con su Palabra. Haremos mucho de eso en el Gimnasio *Renueva tu vida.* Para vivir al ritmo de la gracia, necesitamos toda verdad provista por gracia.

Con «observación personal» me refiero a escuchar a nuestro cuerpo y nuestra mente, desarrollando una sensibilidad que nos indique cuándo nos estamos esforzando más allá de nuestros límites. Esa también es la benigna voz de Dios llamándonos a respetar nuestras limitaciones como criaturas. Dios también puede «hablarnos» a través de familiares y amigos que nos conocen más y pueden expresar su preocupación acerca de nuestro trabajo excesivo, nuestra falta de sueño o nuestra mala alimentación.

Somos criaturas complejas y limitadas

No solo somos criaturas; somos criaturas complejas. No solo tenemos un cuerpo increíblemente complejo sino también un alma sumamente complicada. Y cuando se une cuerpo y alma en una persona, tenemos complejidades múltiples en tanto que cada parte interactúa con la otra. Esa fue una de las áreas clave que olvidé.

3. «Running Releases Protein Associated with Improved Memory in Mice», *Science-Daily*, junio 23, 2016, https://www.sciencedaily.com/releases/2016/06/160623122940.htm.

Me estaba esforzando físicamente de muchas maneras diferentes. Dios me ha bendecido con una voluntad firme, y cuando tomaba la decisión de hacer algo, simplemente seguía esforzándome hasta lograrlo.

Sí, a veces podía darme cuenta de que ese decidido empuje le estaba pasando factura a mi cuerpo, pero no podía ver que también le estaba pasando factura a mi mente y a mi alma. Yo pensaba que podía presionar y agotar mi parte física, pero las áreas mental, emocional y espiritual no serían afectadas. No estaba considerando la manera en la que Dios me había creado: una criatura limitada y una criatura compleja. No solo estaba subestimando mis limitaciones, sino también subestimando el impacto de un cuerpo agotado sobre mi mente y mi alma. Y no estoy hablando aquí de tiempos excepcionales en la vida cuando tenemos que esforzarnos más, como cuando enfrentamos exámenes, fechas límite del trabajo o amamantamos bebés. Estoy hablando de cuando esto se vuelve la norma, lo estándar, durante períodos extendidos de tiempo. Los versículos como Filipenses 4:13, «todo lo puedo en Cristo que me fortalece», no anulan nuestra necesidad básica de comer, beber, descansar y dormir.

Somos criaturas caídas

¿Has notado que cuanto más complicados sean tus utensilios de cocina, más difícil es repararlos cuando se rompen? Hace algunos meses, se averió mi lavadora (que es como una nave espacial) y necesitaba reemplazarla. No teníamos esperanza de arreglarla (créeme, lo intentamos). Requería un técnico con una computadora de diagnóstico y herramientas especiales, y los repuestos eran supercaros. Su complejidad creó problemas adicionales al averiarse.

Algo similar ocurre con nuestra humanidad. Aunque Dios

nos hizo con una complejidad perfecta, la entrada del pecado en el mundo implica que ahora somos criaturas complejas *caídas*, y eso genera aun más problemas. El pecado ha arruinado cada parte de nosotros, nuestra física, nuestra química, nuestra biología, nuestra estructura, nuestras tuberías, nuestra mente, nuestras emociones, nuestra alma, y *especialmente* la manera en que cada parte interactúa con las demás.

Supongo que sabía todo esto en mi cabeza, pero no lo estaba aplicando a mi vida. Estas verdades no estaban haciendo una diferencia práctica en mi forma de vida. Cuando comencé a ver las implicaciones prácticas de ser una criatura limitada, compleja y caída, comencé a ver a Dios de manera diferente, me veía a mí misma de manera diferente, y veía mi vida de manera diferente. En vez de presionarme más y más, cada vez más rápido, comencé a pensar mucho más conscientemente acerca de mi necesidad de vivir dependiendo de mi Creador y respetar las limitaciones que él estableció como parte de mi diseño. También comencé a entender y responder a la compleja interacción entre cuerpo, mente y alma. Aprender más acerca de Dios como Creador, y aplicarlo de manera práctica a mi vida, ha sido una verdad tremendamente liberadora de estrés. Dios como Creador no es simplemente una doctrina para el debate apologético, sino que comporta un valor práctico sumamente relevante.

¿Cómo llegué hasta aquí?

Cuando entendemos nuestra humanidad, en especial la interconexión e interacción entre sus diversas partes, es más probable que evitemos soluciones simplistas y unidimensionales a nuestros problemas. Y con ese trasfondo, ahora estamos listos para considerar algunas de las causas específicas de nuestros problemas. Cuando vemos la repetición de la carrera de nuestra vida, ¿qué vemos que nos ha dañado a lo largo del camino? La mayoría de las causas pueden ser divididas en dos categorías principales —nuestra situación en la vida y nuestro estilo de vida—, aunque a menudo una influye o incluso produce la otra. Entonces, ¿cómo descubrimos lo que causó nuestra lesión?

Así como los atletas necesitan instructores para ayudarlos a revisar sus carreras, con frecuencia podemos beneficiarnos de tener un instructor (por ejemplo, nuestro esposo, una amiga o un pastor) que nos ayude a ver la repetición, analizar objetivamente nuestra vida, y así identificar las causas de nuestros problemas. Esto nos ayudará a evitar los extremos comunes tanto de culparnos a nosotras mismas por todo o culpar a todos los demás por todos nuestros problemas. Una amiga honesta puede ayudarnos a ver dónde somos responsables y dónde no. Mi amiga Sofía, que ha sufrido con el trastorno bipolar, me dijo que, aunque ha tenido varios consejeros durante los últimos años, su mejor consejero e instructor es su esposo. «Él es quien mejor me conoce. Sabe cuando estoy deprimida pero también cuando tal vez estoy siendo perezosa y necesito un leve empujón con amor».

Situación en la vida

Hagamos una repetición de mi situación de vida y luego de mis elecciones en el estilo de vida para mostrarte cómo funciona. La «situación en la vida» se refiere a cosas sobre las cuales tenemos poca o ninguna elección o control. La vida ocurre. Entonces, ¿cómo se veía mi vida cuando se acercaba esta crisis? ¿Qué factores me llevaron hasta ese lugar? A primera vista, todo parecía estar bien. Estaba en mis treinta y tantos, felizmente casada con David, madre de dos adorables hijos pequeños (de cuatro y cinco años), una bebé de un año, y otro hijo en camino. Había comenzado a educar a mis hijos en casa ocho meses antes y también trabajaba a tiempo parcial como médica de familia. Vivía cerca de mi familia, incluyendo dos padres mayores. Aunque vivíamos una vida ajetreada (demasiado ajetreada, ahora que lo pienso), David y yo nos sentíamos bendecidos en todo sentido. Conscientes de la ayuda y la gracia de Dios, enfrentaba todo con entusiasmo y máximo esfuerzo, como siempre lo había hecho: a máxima velocidad de la partida a la meta.

Desafíos y cambios

Pero algunas cuestiones se habían ido combinando de manera imperceptible, lo cual gradualmente me iba derrumbando. El primero de estos acontecimientos importantes fue una división en la iglesia, que impactó enormemente a nuestra familia. Por casi diez años (1990-2000), habíamos estado en una denominación terriblemente dividida que no estaba logrando lidiar con cuestiones morales graves. En medio de esto, en 1995, David había comenzado su ministerio y fue sumergido en la controversia permanente que estaba cayendo sobre todos. La atmósfera en nuestra denominación era terrible e inquietante. Muchas aguas turbulentas habían pasado debajo del puente. Finalmente, luego de más años de controversia estresante, nuestra denominación se dividió en el año 2000, provocando que David y yo nos viéramos obligados a dejar nuestra amada congregación. Muchos otros familiares y amigos también fueron profundamente afectados por esta división. Aunque sentíamos cerca al Señor y nos sostuvo en todo sentido, estos días y años llenos de ansiedad se habían hecho sentir profundamente, aunque de manera oculta.

Aunque tuve que aceptar más trabajo médico durante un tiempo, después de un año de la división de la iglesia y el alejamiento de nuestra congregación, Dios llamó a David a pastorear una nueva congregación, más grande, en la Isla de Lewis. Nos mudamos a nuestro nuevo hogar en la isla y nos sumamos a una nueva comunidad, comenzando todo de nuevo con nuevas amistades, nuevas responsabilidades, nuevas expectativas, nuevos colegas, y, por tanto, nuevas ansiedades. Como me dijo una amiga que se mudó a California: «Aun cuando es una mudanza para bien y todo sale bien, no significa que el estrés de todo eso nuevo no sea real».

Luego vino la ruptura matrimonial de dos parejas cristianas con las que tenía una relación muy cercana. Dos amigas queridas abandonaron la fe. Esto sacudió mi sentido de estabilidad y seguridad, y me dejó tambaleando en confusión como los marineros del Salmo 107 o los discípulos en la tormenta. Estaba comenzando a sentirme abrumada. La carrera de mi vida estaba comenzando a tambalearse. Por encima de todo lo demás, ahora también estaba dando vueltas en un mar de hormonas de embarazo; probablemente fue la gota que colmó el vaso.

Carreras diferentes

Ninguna carrera es igual a otra. El fracaso en la carrera de mi vida incluyó múltiples cambios por un lado y múltiples pérdidas por otro: la pérdida de una denominación, de una congregación, de amigas, de la vocación de David (por un tiempo), y de nuestro hogar. También estaba el dolor de un conflicto de largo plazo, el dolor de la injusticia, y el dolor de la ruptura matrimonial de mis amigos y su recaída espiritual. En el caso de Jeni, la esposa de un pastor, todo comenzó con la experiencia traumática de estar casada, tener un hijo con complicaciones en menos de un año, y no tener el tiempo para procesar todo eso emocionalmente o recuperarse físicamente de la cesárea. Luego llegaron varios hijos muy seguidos, todos por cesárea. Reflexionando acerca de este tiempo, su esposo Greg, observó: «No prestamos debida atención al daño sobre su cuerpo y el estrés emocional de los años de seminario y todo lo que vino con eso. Hubo un descuido de la salud, nada drástico sino simplemente alimentario: comer lo que puedes comprar, cuando puedes, siempre corriendo, con poco descanso, poca relajación».

En tu caso puede haber otros factores sobre los cuales no tienes control: enfermedad, cuidado de otras personas, pérdida financiera, delincuencia, discapacidad, accidentes, y otros. Otra amiga mía sufrió con muchos cambios en su vida durante un corto período de tiempo e incluso terminó con tratamiento psiquiátrico durante un tiempo.

Es bastante común que las mujeres me digan que no tienen idea de por qué están tan ansiosas, tan tristes y tan cansadas de manera crónica. Pero cuando comenzamos a revisar los últimos dos años de su vida, a menudo se quedan sorprendidas al darse cuenta de cuántos cambios y desafíos han experimentado en su vida. Sin embargo, también encuentran alivio porque hay algo asombroso y esperanzador en el hecho de entender la conexión entre las causas y los efectos. El hecho de no poder identificar esas conexiones aumenta el desconcierto y la desorientación.

Estilo de vida

Ahora queremos observar factores sobre los cuales sí tenemos elección, cuestiones que en general podemos controlar. En mi caso, allí estaba mi perfeccionismo de larga data. Siempre había tenido altas expectativas de mí misma, esforzándome hasta el límite en todas las áreas de la vida, incluso desde mi juventud: en los deportes era híper-competitiva, en la universidad de medicina estudiaba sin parar de lunes a sábado, en el trabajo me esforcé durante mi año de internado trabajando más de ochenta horas por semana, en las relaciones quería agradar a todos, en mi vida espiritual quería dedicarme al servicio del Señor y agradar al Dios que amo.

Mi ritmo se iba acelerando cada vez más con cada año que pasaba; sin tiempo para detenerme, sin tiempo para cuidarme a mí misma, y sin límite en cuanto a lo que podía cargar o agregar en cada día. Tenía solo dos marchas: rápida o muy rápida. Recuerda mi infancia: ¿por qué caminar si puedes correr? No conocía ninguna otra forma y había trasladado este ritmo a mi vida adulta sin conocer las consecuencias peligrosas. Este era un plan de carrera con graves defectos.

También tenía un excesivo sentido de responsabilidad por mis hijos. Por supuesto, yo *era* responsable por ellos, especialmente en sus primeros años. Pero había tomado toda la responsabilidad no solo por lo que comían y vestían, sino por su comportamiento, su carácter, su éxito educativo, e incluso su destino eterno. Me encontraba constantemente bajo una nube de «culpa de mamá» con mi consciencia hiperactiva que nunca permitía que mi vida interior tuviera un momento de descanso o de paz. También tenía mucho orgullo de manera que casi nunca pedía ayuda a David o a otros por temor a invadir su espacio o dar la impresión de que no podía arreglármelas con todo. Entonces, por encima de las condiciones de la vida sobre las cuales no tenía control, yo había decidido añadir el perfeccionismo, la necesidad de agradar a las personas, la falsa culpa y la autosuficiencia.

Así como ocurre con los factores situacionales, las decisiones en la vida que te ponen en peligro pueden ser bastante diferentes a las mías. Considerando mi experiencia de consejería con otras mujeres, los principales peligros son:

- *Idolatría.* Hacemos ídolos de la belleza, la moda, la carrera, el esposo, o los hijos; especialmente su éxito en la escuela o los deportes.

- *Materialismo.* Nuestra búsqueda de dinero o de hogares más grandes y mejores a menudo provoca que trabajemos más horas o tengamos más empleos de lo que podemos soportar, y también alimenta el gusano del descontento que carcome nuestra mente y nuestro corazón.

- *Deuda.* Una de las mayores causas de estrés es vivir más allá de tus posibilidades. Tal vez no gastamos 50 por ciento más de lo que podemos, pero 10 por ciento más, año tras año, hace crecer nuestra deuda y nuestros niveles de ansiedad.

- *Comparación.* Pinterest, Facebook, y los blogs de mamás pueden llevarnos a compararnos de manera negativa con otras mujeres que parecen más atractivas, mejores amas de casa, mejores organizadoras y mejores en todo.

- *Indisciplina.* Aunque es difícil ser disciplinada y organizada, ser lo opuesto es más estresante, lo cual ocurre fácilmente cuando usamos tecnología. ¿Cuántas horas desperdiciamos en internet, produciendo no sólo culpa por el tiempo perdido, sino una pila de otros deberes que ahora tenemos que hacer de prisa?

- *Identidad.* Definimos quiénes somos mediante nuestros éxitos, nuestros fracasos, o alguna parte de nuestro pasado, en vez de definirnos por quiénes somos en Cristo. Analizaremos esto en detalle en un capítulo más adelante.

- *Incredulidad.* Si creyéramos que Dios nos cuida incluso más que a las aves del cielo (Mt 6:26), ¡qué angustia evitaríamos y qué paz disfrutaríamos!

- *Alimentación.* Como analizaremos más adelante en este libro, hay una creciente evidencia que conecta nuestro estado de ánimo y nuestra mente con nuestra comida. Consumamos comida chatarra, y tendremos estados de ánimo y mentes chatarras.

- *Alimentación mediática.* Así como lo que llevamos a nuestra boca afecta nuestras emociones, nuestros pensamientos y nuestro corazón, también lo que llevamos a nuestros oídos y ojos tiene consecuencias emocionales, intelectuales y espirituales. Muchos viven como si Filipenses 4:8 dijera: «Consideren bien todo lo falso, todo lo despreciable, todo lo malo, todo lo inmundo, todo lo desagradable, todo lo terrible, en fin, todos los vicios o lo que merezca críticas».

- *Perfeccionismo.* Nos esforzamos por tener a la familia, el hogar, las comidas y la apariencia impecables. Mi amiga Linda, una estudiante de profesorado, me dijo: «El perfeccionismo es lo que dispara la bomba de tiempo de mi agotamiento. Es el factor de agotamiento más influyente en mi vida». También resaltó que no afecta solo un área de su vida, sino que aparece en todo aspecto: su vida espiritual, su lugar de trabajo, la escuela, el baloncesto, y las relaciones. Ella dijo: «Todo esto es afectado por mi deseo de "hacer todo bien"».

- *Fracaso.* Fracasamos en la escuela, en el trabajo, en las tareas del hogar, en la crianza de los hijos, en dar testimonio, o no logramos satisfacer nuestras propias expectativas o las de los demás. Una estudiante universitaria explicó cómo el temor al fracaso puede ser tan desgastante y deprimente confesando lo siguiente: «Si tiene alguna falla, entonces no vale la pena. Yo tengo miedo al fracaso, lo cual me produce una actitud evasiva. Evitaré cualquier cosa o cualquier situación si sé que no podré hacerlo bien».

- *Conciencia.* Pocas cosas nos agotan tanto como una conciencia culpable. Como dijo el sabio: «Quien encubre su pecado jamás prospera» (Pr 28:13). Pero la culpa verdadera no es nuestro único desafío. Muchas mujeres que conozco experimentan una culpa falsa. Satanás está constantemente hostigándolas con pensamientos como: «No estás haciendo lo suficiente».

- *Recaída.* ¿Nuestra vida devocional es más breve o más superficial? ¿Pocas veces pensamos en Dios u oramos a lo largo del día? ¿Nos estamos alejando cada vez más de él y acercándonos a la tentación y el pecado?

Plumas y camellos

Esa es una lista larga de sucesos de la vida y cuestiones del estilo de vida, pero no es exhaustiva. Utilízala como un muestrario para analizar la repetición y revisar tu vida. No la ignores ni la minimices. Lo que finalmente hace colapsar a una persona puede no ser algo grande, sino muchas cosas pequeñas. Todos somos diferentes con vulnerabilidades diferentes. A veces realmente es una pluma lo que hace colapsar el lomo del camello, pero siempre es el resultado de años de maltrato.

Recuerda también que el daño en un área, tal vez el cuerpo, generalmente nos impactará espiritual, emocional e intelectualmente. Esa es una de las razones por las cuales dedicamos tanto tiempo anteriormente a analizar cuán complejos somos y cómo interactúa cada parte con las demás. En mi experiencia personal y de consejería, uno de los mayores avances para la sanidad se da cuando aplicamos ese enfoque holístico a las causas y las curas.

Una última pregunta que pudo haber venido a tu mente es: ¿cuándo sabemos que necesitamos ver la repetición, que necesitamos detenernos y rastrear nuestros pasos? Mi respuesta es que con cierta regularidad debemos acercarnos a la primera estación, Reconocer la realidad, para hacer una evaluación. Si descubrimos dos o tres de estas señales de advertencia, tomamos nota de ellas, pero no nos preocupamos demasiado. Así es la vida. Pero si aparecen cinco o más, o incluso una de ellas está en las categorías espiritual o moral, entonces debemos acudir a la estación Revisar.

Entonces, ¿qué hemos hecho hasta aquí? Hemos evaluado el daño y entendido sus causas. Hemos comenzado a admitir el daño que nos hacemos cuando vivimos al ritmo de la era espacial en vez de vivir al ritmo de la gracia. Prosigamos ahora a las secciones más prácticas y positivas de este libro avanzando a la próxima estación: Reposar.

Estación 3

Reposar

A esta altura, ya estás lista para comenzar a hacer algo y moverte, pero la estación 3 en el Gimnasio *Renueva tu vida* está repleta de camas. Es un gimnasio extraño, ¿verdad? En las primeras dos estaciones simplemente hablamos, y en la tercera estación nos recostamos y reposamos. ¿Por qué?

Cuando los atletas terminan una carrera o una sesión de entrenamiento particularmente intensa, le dan prioridad al descanso para que sus músculos magullados, cansados y lesionados tengan la oportunidad de recuperarse. Algunos atletas incluso descansan en un baño de hielo para minimizar la lesión muscular a largo plazo. Nosotros pasaremos por alto el baño de hielo, ya que quiero que nos enfoquemos en el descanso que conseguimos al dormir, el cual no solo limita e incluso sana las heridas de la carrera de nuestra vida sino que también nos ayuda a correr mejor y con más seguridad en el futuro. Dormir no es solo descansar y renovar nuestros músculos, sino toda nuestra humanidad cansada. La falta de sueño puede llegar a ser fatal, como descubrió Arianna Huffington, famosa periodista del *Huffington Post,* cuando despertó una mañana en un charco de sangre.

Mientras crecía su popularidad y su éxito, había estado descansando cada vez menos. Esto la confrontó dramáticamente una mañana cuando colapsó de agotamiento y se quebró el pómulo al golpearse con su escritorio. En su libro que fue éxito en ventas, *Thrive*, ella explica: «No estaba viviendo una vida exitosa en ningún sentido sensato de éxito. Sabía que algo tenía que cambiar radicalmente. No podía continuar así»[4]. Luego de enfocarse en mejorar sus hábitos de sueño, ahora se ha vuelto una firme promotora de un mejor dormir.

He conocido muchas cristianas a lo largo de los años que han luchado con las consecuencias de la privación del sueño, incluyéndome a mí misma. Es por eso que quiero añadir mi voz a la de Huffington resaltando el sueño como un componente vital de la recuperación y el futuro bienestar.

Ciencia del sueño

En esta estación, apelaremos a la investigación científica para apoyar el argumento en favor de más sueño. Una investigación resaltó que estamos durmiendo entre una y dos horas menos por noche de lo que la gente dormía hace sesenta años, y dos horas y media menos que hace cien años[5]. Sin embargo, en definitiva, la práctica de tener una buena noche de descanso está arraigada en la puesta en práctica de nuestra teología. Creemos que Dios ha establecido nuestro descanso como parte integral de nuestra humanidad (Sal 127:2), pero al igual que ocurre con todas las buenas dádivas de Dios, tenemos una tendencia pecaminosa a rechazarlo o usarlo mal. Mientras algunas personas pueden luchar con el deseo de dormir demasiado, muchas de nosotras luchamos queriendo arreglárnoslas con demasiado poco. En nuestra sociedad enloquecida por la productividad, idolatramos

---

4. Arianna Huffington, *Thrive: The Third Metric to Redefining Success and Creating a Life of Well-Being, Wisdom, and Wonder* (Nueva York: Harmony, 2015), 2.
5. James Gallagher, «The Arrogance of Ignoring Our Need for Sleep», *BBC.com*, mayo 12, 2014, http://www.bbc.com/news/health-27286872.

la actividad y minimizamos la necesidad de sueño. Podemos incluso enorgullecernos de cuán poco sueño parecemos necesitar. Los relatos de cristianos famosos a lo largo de la historia que decían arreglárselas durmiendo muy poco promueven la idea de que dormir menos es más piadoso y un ejemplo de una gran fe. Lo que a menudo se olvida es que muchos de estos cristianos también sufrieron enfermedades terribles, y otros murieron jóvenes. Es por eso que quiero apoyar el argumento de que el sueño adecuado es un ejemplo mucho mejor de tener una gran fe. Piensa en todo lo que estás diciendo cuando duermes unas ocho horas cada noche:

> *Creo que Dios cuidará mi familia, mi trabajo o mis estudios.* Me niego a creer la mentira de que todo depende de mí. Creo en la soberanía de Dios y confío en que no necesita que yo trabaje en exceso o duerma poco para terminar todo el trabajo (Sal 127:1–2).

> *Creo que Dios creó mi humanidad, y necesito seguir sus instrucciones para conservarla.* Me niego a creer la mentira de que soy única. No soy más fuerte que otros y por tanto tengo la misma necesidad de su don del descanso (Sal 3:5, 4:8). Como escribió Karen Swallow Prior, profesora en la Universidad Liberty: «Nuestra necesidad de reposo es tan central para nuestra humanidad que Dios ha establecido para ello un día por semana. De hecho, un tercio de nuestras vidas lo pasamos durmiendo... Ciertamente, a menudo tratamos al descanso menos como un amigo y más como un enemigo. Nunca somos más vulnerables que cuando dormimos. Tal vez por eso es que lo resistimos tanto»[6].

---

6. Karen Swallow Prior, «Want to Follow God? Go to Sleep», Christianity Today, Febrero 21, 2012, http://www.christianitytoday.com/women/2012/february/want-to -follow-god-go-to-sleep.html.

Creo que mi cuerpo y mi alma están tan íntimamente vinculados que ambos se impactan mutuamente. Me niego a creer la mentira de que, si descuido mi cuerpo, mi alma y mi mente seguirán floreciendo.

Creo que el dormir es una de las mejores ilustraciones de mi descanso en Cristo. Me niego a creer la mentira de que debo ser reconocida por mi servicio sacrificial a Cristo en vez de ser reconocida por descansar en él.

Creo sólo en Dios y me niego a adorar ídolos. Me niego a idolatrar el éxito del trabajo y menospreciar el sueño. Me niego a idolatrar el entretenimiento nocturno y descuidar el sueño. Me niego a idolatrar el servicio a costa del sueño. Me niego a considerar que impresionar a mi jefe es más importante que dormir. Me niego a idolatrar un hogar perfecto a costa de dañar el templo de mi cuerpo. Nuestros patrones de sueño revelan nuestros ídolos.

Muchas buenas razones para dormir más

Antes de analizar cómo dormir mejor y por más tiempo, consideremos algunas de las consecuencias devastadores de la reducción del sueño. O, para decirlo más positivamente, aquí hay muchas buenas razones para dormir más.

Consecuencias físicas

Dormir prolonga y mejora la vida. En palabras simples, si no dormimos, morimos; y si dormimos poco podemos morir mucho antes. Varios estudios vinculan la falta crónica de sueño (definido como menos de seis horas por noche) con daños genéticos, lesiones cardiovasculares (como hipertensión y derrame cerebral), cáncer, diabetes, infecciones y enfermedades inflamatorias tales como artritis reumatoide. La privación crónica del sueño también está asociada con la infertilidad e incluso con la obesidad, ya que la pérdida del sueño provoca un aumento del hambre y un deseo de alimentos hipercalóricos. Lejos de ser una pérdida de tiempo, el sueño desempeña un rol esencial en la restauración diaria de componentes corporales dañados y un importante rol en la prevención de enfermedades[7]. Por tanto, nos ayuda a ganar tiempo en el largo plazo.

Consecuencias deportivas

Las consecuencias físicas de dormir demasiado poco pueden incluso entenderse y apreciarse mejor cuando examinamos las ciencias del deporte y aprendemos por qué cada vez más deportistas profesionales están aumentando su descanso e incluso contratando instructores de sueño para mejorar su rendimiento. Las investigaciones han demostrado que dos días de privación de sueño conllevan una reducción de más del 20 por ciento en los períodos de concentración, los tiempos de reacción, la fuerza, la energía, la precisión y la velocidad. No es de sorprender que el tiempo promedio de descanso de los mejores deportistas es mucho más alto que el promedio general.

Michelle Wie, campeona del Torneo abierto femenino de golf de los Estados Unidos en 2014, durmió dieciséis horas antes del Abierto Sony. A la revista *Golf Digest* le dijo: «Cuando puedo, duermo más de 12 horas, y no me siento bien si duermo menos de 10». La gran campeona de tenis Serena Williams dijo: «Muchas personas subestiman el sueño. Se necesita cierta cantidad de descanso

7. Christine Gorman, «Why We Sleep», *Scientific American*, octubre 1, 2015, http:// www.scientificamerican.com/article/sleep-why-we-sleep-video/. Ver también «How Sleep Can Help (or Hurt) Your Arthritis», NatraCure.com, http://natracure.com/blog/sleep.

para rejuvenecer el cuerpo, rejuvenecer las células y rendir, ya sea que uno vaya a la escuela o esté desarrollando un deporte profesional... Cuando no duermo lo suficiente, simplemente no puedo tener un buen entrenamiento. Es de baja calidad y no tengo suficiente rejuvenecimiento en mis células para usar los músculos que necesito usar»[8].

Consecuencias intelectuales

«Sí, pero yo no soy Serena Williams. Yo simplemente me siento en una computadora todo el día, o llevo en el auto a mis hijos todo el día, o doy vueltas en círculos todo el día en mi casa. Yo no necesito rendir a un nivel físico tan elevado». En *Sleep Is More Important than Food* [El sueño es más importante que la comida], Tony Schwartz dice que la investigación es unánime concluyendo que cuanto más duermes, más aprendes: «Incluso proporciones pequeñas de privación del sueño producen consecuencias importantes en nuestra salud, nuestro estado de ánimo, nuestra capacidad cognitiva y nuestro rendimiento»[9].

Personalmente, me doy cuenta de que, si estoy empezando a dormir menos, mi eficacia para administrar mi hogar decae de manera significativa. Me olvido de algunas cosas, tardo el doble de tiempo en hacer todo, me cuesta más tomar decisiones, y generalmente me siento como en una neblina. Incluso mis hijos se dan cuenta y se ríen diciendo: «Mamá, ¡necesitas un mapa!». Lo que es más grave, no puedo

---

8. Jessica Cumberbatch Anderson, «Serena Williams Tackles Insomnia as Co-Owner of "Sleep Sheets" Sleep Aids», Huffington Post, abril 4, 2012, http://www.huffingtonpost.com/2012/04/30/serena-williams-tackles-sleep-problems-with-sheets_n_1465015.html. Ver también Sleep Disorders and Sleep Deprivation: An Unmet Public Health Problem (Washington, DC: National Academies Press, 2006); «You Are What You Sleep», Athlete Kinetics, febrero 9, 2016, http://athletekinetics.com/2016/02/09/you-are-what -you-sleep/; y Jordan Schultz, «These Famous Athletes Rely on Sleep for Peak Performance», Huffington Post, agosto 13, 2014, http://www.huffingtonpost.com/2014/08/13 /these-famous-athletes-rely-on-sleep_n_5659345.html.
9. Tony Schwartz, «Sleep Is More Important than Food», Harvard Business Review, marzo 3, 2011, https://hbr.org/2011/03/sleep-is-more-important-than-f/. Ver también https:// hbr.org/2006/10/sleep-deficit-the-performance-killer/ar/1#.

concentrarme en mi tiempo devocional sin que mi mente revolotee en cien direcciones diferentes.

Consecuencias emocionales

Aunque al dormir menos y trabajar más la *cantidad* de nuestro trabajo puede aumentar en el corto plazo, la *calidad* definitivamente menguará, así como nuestro disfrute de lo que hacemos. Eso es porque la falta de descanso altera el flujo de epinefrina, dopamina y serotonina en el cerebro, químicos muy asociados con el estado de ánimo y el comportamiento. Por eso, las personas con insomnio tienen diez veces más probabilidades de tener depresión y diecisiete veces más probabilidades de tener una ansiedad considerable. Las investigaciones dirigidas por Torbjörn Åkerstedt de la Universidad de Estocolmo demostraron que una menor cantidad de sueño reduce los niveles de empatía, pero aumentan los niveles de miedo[10].

No me cabe duda de que la falta de sueño desempeñó un rol importante en el desarrollo de mi propia depresión. Hablando con otras personas que han experimentado este agotamiento, he descubierto que este es un tema recurrente. No fueron tanto las noches esporádicas sin poder dormir bien las que me empujaron al vacío. Fue la privación repetida y habitual del sueño lo que en definitiva produjo el desgaste general de mi salud. Ahora me doy cuenta con mucha claridad de que cuando se reducen las horas que duermo, mi estado de ánimo y mi capacidad cognitiva también empeoran. Este reconocimiento es una motivación clave para acostarse a tiempo.

Consecuencias sociales

Dormir es una forma de amar a nuestro prójimo, porque la falta de

10. Ver un resumen de la investigación de Åkerstedt en Karolinska Institutet, Departmento de neurosciencia clínica, http://ki.se/en/cns/torbjorn-akerstedts-research-group.

sueño lastima a quienes nos rodean, especialmente a nuestra familia y nuestros colegas. No es solo que nuestro temperamento se vuelve frágil e impaciente; también somos más propensos a tener accidentes. ¿Te has dado cuenta de cuán torpe te sientes luego de una mala noche? Conducir un auto con sueño es igual de peligroso que conducir ebrio, habiendo hasta 100.000 accidentes automovilísticos por año provocados por conductores exhaustos. Dormir es claramente una cuestión moral.

Consecuencias espirituales

Pero no solo la moralidad está en juego: también nuestra espiritualidad. Considera este párrafo de Don Carson:

> Si eres de aquellos que se vuelven ingratos, cínicos o que incluso se llenan de dudas ante la falta de descanso, estás moralmente obligado a intentar dormir todo lo que necesitas. Somos seres completos y complejos; nuestra existencia física está vinculada a nuestro bienestar espiritual, a nuestra actitud mental, a nuestras relaciones con los demás, incluyendo nuestra relación con Dios. A veces lo más piadoso que puedes hacer en el universo es lograr una noche de buen descanso; no es orar toda la noche, sino dormir. Ciertamente no estoy negando que puede haber un momento para orar toda la noche; simplemente estoy insistiendo en que, en el curso normal de la vida, la disciplina espiritual te obliga a dormir todo lo que tu cuerpo necesite[11].

Enseñando una clase acerca de Charles Spurgeon y su depresión, John Piper dijo:

11. Don Carson, *Scandalous: The Cross and Resurrection of Jesus* (Wheaton, IL: Crossway, 2010), 147.

> Soy emocionalmente menos resiliente cuando me falta sueño. En los primeros días yo trabajaba sin preocuparme por dormir y sentirme enérgico y motivado. En los últimos siete u ocho años, mi umbral de abatimiento está mucho más bajo. En mi caso, un descanso adecuado no es una cuestión de mantenerme saludable. Es una cuestión de mantenerme en el ministerio. Es irracional que mi futuro parezca más desalentador si duermo cuatro o cinco horas durante varias noches seguidas. Pero eso es irrelevante. Esa es la realidad. Y debo vivir dentro de los límites de la realidad. Les recomiendo dormir lo suficiente, para que valoren adecuadamente a Dios y sus promesas[12].

¿Te fijaste en que Piper conectó el tiempo sobre la almohada con la confianza en las promesas de Dios? Creo que parte de mi incapacidad para aferrarme a la Palabra de Dios en mis peores días fue causada por el mero cansancio más que por la incredulidad. Ahora coincido con Karen Swallow Prior, quien dijo que el descanso es primordial para una vida espiritual «exitosa». Ella se describe a sí misma como «fanática del buen descanso» y dice: «Solía pensar que negarse a trabajar de sol a sol, incluso por el bien de la iglesia, el trabajo o el hogar, era algo egoísta. Ya no pienso así»[13].

Las mujeres y el descanso

Dormir es incluso más importante y aparentemente más difícil de lograr en las mujeres, según lo que descubrieron los investigadores en el Centro de Investigación del Sueño de la Universidad de Loughborough. Ellos descubrieron que «las mujeres necesitan hasta

---

12. John Piper, «Charles Spurgeon: Preaching through Adversity», Desiring God, enero 31, 1995, http://www.desiringgod.org/biographies/charles-spurgeon-preaching-through-adversity.
13. Prior, «Want to Follow God? Go to Sleep».

20 minutos más de sueño que los hombres cada noche para evitar la hostilidad, la angustia psicológica y la depresión»[14]. No es solo que el cerebro de las mujeres tiene un diseño más complejo que el de los hombres; las mujeres tienden a realizar múltiples tareas simultáneamente en mayor medida que los hombres, utilizando más reservas de su cerebro, y por eso necesitan más descanso para recuperación y restauración.

Las madres de niños pequeños padecen especialmente la privación del sueño cuando sus hijos se despiertan durante la noche. Además de eso, durante el día constantemente desarrollan múltiples tareas. Y luego algunas de nosotras empeoramos el problema permaneciendo despiertas mucho más de lo que deberíamos, intentando tener un tiempo de quietud. Las mujeres enfrentamos muchos desafíos adicionales.

Algunas píldoras para dormir

A esta altura, espero que ya reconozcamos que dormir bien es un imperativo. ¿Pero cómo lo logramos si parece haber tantos obstáculos en el camino? Aquí hay algunas ideas para mejorar nuestros hábitos del sueño y así recibir el buen don de Dios del sueño.

Conocimiento

Si nuestras escuelas sustituyeran las clases de álgebra por la somnología, nuestra sociedad sería un lugar mucho más saludable, más seguro, y más brillante. A pesar de que el sueño ocupa entre un cuarto y un tercio de nuestra vida y tiene una gran influencia sobre el resto del tiempo, la mayoría de nosotras salimos de la escuela ignorando totalmente por qué y cómo dormir. Dado que el conocimiento no solo sirve para guiarnos

14. Janet Tiberian, «Researchers Recommend 20 Minutes More Sleep for Women», MDVIP, Abril 5, 2016, http://www.mdvip.com/community/blog/view/researchers -recommend-20-minutes-more-sleep-for-women.

sino también para motivarnos, ¿por qué no prestar atención a algunos de los recursos citados en este capítulo o leer *Descanso activo* del médico del sueño Matthew Edlund?[15].

Disciplina

Una vez que entendemos la importancia física, intelectual, emocional, social y espiritual de dormir bien, el próximo desafío es lograr que ocurra habitualmente. Necesitamos la ayuda de Dios para llevar esta convicción a la acción. Pídele que te conceda la fuerza de voluntad para realizar los ajustes a tu agenda y los cambios a tu estilo de vida que sean necesarios (Fil 2:13).

Rutina

Desarrolla una rutina y regularidad en tus tiempos de acostarte y levantarte. Dios nos ha creado con ciertos ritmos corporales y nos diseñó de tal manera que cuanto más nos alineamos con estos ritmos, más florecemos. Puedes tener algunas noches de desvelo al comienzo mientras tu cuerpo se adapta a los cambios, pero pronto notarás que tu cuerpo los reconocerá, y te resultará mucho más fácil irte a dormir y levantarte.

Ayuno de los medios de comunicación

Al atardecer necesitamos apagar la televisión, la tecnología, el e-mail, Facebook, Instagram, y las películas, y quitar los dispositivos de nuestra vista, llevándolos a otra habitación. Permitamos que nuestro cerebro llegue a la cama junto con el descanso de nuestro cuerpo, apagado y listo para dormir.

---

15. Matthew Edlund, *The Power of Rest: Why Sleep Alone Is Not Enough* (Nueva York: HarperCollins, 2010).

Cooperación familiar

Yo soy un búho nocturno, y David es una alondra matutina. Al comienzo de nuestro matrimonio establecimos un compromiso saludable, pero ahora con cinco hijos, entre cuatro y veintiún años, la vida es mucho más complicada. Nuestros hijos más grandes son búhos nocturnos y alondras matutinas, todo en uno, y al igual que la mayoría de los jóvenes, todavía están desarrollando sus habilidades de reducción del ruido. Añade a eso los batidos de proteínas para fortalecer músculos zumbando en la licuadora al anochecer y al amanecer, y la crisis al caer la noche: «Olvidé hacer mi tarea». Entonces, ¿qué hacemos? Tenemos una conferencia familiar esporádicamente y llegamos a un acuerdo mutuo que funciona para todos. Hace algún tiempo, establecimos la hora límite de ruido a las diez de la noche de domingo a jueves para asegurarnos de que todos puedan dormir lo necesario. Les explicamos que es parte de tratar a los demás como queremos que nos traten a nosotros (Mt 7:12).

Ejercicio

Todos sabemos que el ejercicio es importante para nuestra salud física (1Ti 4:8). Cuando nuestros hijos pasan todo un día en el parque o en la playa, decimos: «Dormirán bien toda la noche». ¿Alguna vez has pensado en aplicar este pensamiento también a tus propios hábitos del sueño? Puede parecer más obvio si estás sentado en tu escritorio todo el día, pero ¿qué ocurre si tu trabajo incluye estar de pie todo el día? ¿Todavía se requiere el ejercicio? Sí, porque aun si estamos trabajando de pie, nos tensionamos al cambiar de una tarea a la siguiente, intentando terminar con todo. Además de eso están las frustraciones inevitables que enfrentamos haciendo malabares con múltiples tareas y niños. Algunas de nosotras podemos pasar horas en modo «pelea o huye» con un torbellino de adrenalina en nuestro sistema, sin ningún lugar donde pueda ser liberada. Esto es dañino para nuestro cerebro, para nuestras emociones y para otras partes de nuestro cuerpo. Luego viene la hora de dormir, y seguimos en ese modo, siendo incapaces de detener la producción de la adrenalina estimulante. El ejercicio no relacionado con el trabajo reorienta toda la energía nerviosa y le provee un escape físico. Este tipo de ejercicio produce en nosotros una clase saludable de cansancio que es propicio para dormir, a diferencia del cansancio mental que nos impide dormir.

Contentamiento

Pocas cosas promueven el contentamiento más que una buena noche de descanso, y pocas cosas llevan al insomnio más que la insatisfacción. Una vida de búsqueda incesante de dinero, bienes materiales, un cargo o fama nos deja una profunda insatisfacción que nos carcome a la hora de dormir. Tal vez esta es la principal razón por la cual nuestra sociedad está tan privada del sueño. Cuando buscamos nuestro contentamiento solo en Dios, es mucho más probable que experimentemos un descanso profundo y gratificante (Sal 37:4).

Fe

Esporádicamente cuando no puedo dormir, la razón más común es la ansiedad acerca de algo, ya sea de mi familia, mi iglesia o mi país (o, en este momento, el intento de vender una casa). Estas preocupaciones parecen gritar muy fuerte en medio de la noche. Pero la Palabra de Dios también puede gritar. En el silencio de la noche, cuando la ansiedad se trepa conmigo a la cama, es un buen tiempo para ejercitar mi fe en la verdad bíblica y permitir que esa verdad me aleje de la ansiedad. Cuando me preocupo por mi

familia, pongo mi fe en Dios cuando dice: «Él les tiene contados a ustedes aun los cabellos de la cabeza. Así que no tengan miedo; ustedes valen más que muchos gorriones» (Mt 10:30-31). Cuando me preocupo por mi falta de vitalidad espiritual, le creo cuando dice: «Si ustedes, aun siendo malos, saben dar cosas buenas a sus hijos, ¡cuánto más el Padre celestial dará el Espíritu Santo a quienes se lo pidan!» (Lc 11:13). Cuando me preocupo por un designio divino que me desconcierta y me cuesta entenderlo, creo en Dios cuando dice: «Confía en el Señor de todo corazón, y no en tu propia inteligencia. Reconócelo en todos tus caminos, y él allanará tus sendas» (Pr 3:5-6). Cuando me preocupo por el futuro, recuerdo que Dios dice: «Nunca te dejaré; jamás te abandonaré» (Heb 13:5).
Estos son especialmente los momentos en que debemos recordar que Dios tiene pleno control. Cuando logramos dormir en estos tiempos, estamos descansando firmemente en las promesas de Dios como el bebé que duerme en brazos de su madre.

Aceptar períodos especiales

Hay momentos cuando, debido a razones excepcionales, tenemos que contentarnos con menos descanso. Estos tiempos generalmente son breves y ordenados por Dios, como cuando las madres tienen bebés, cuando estamos cuidando a un pariente enfermo, o necesitamos estar de guardia en el trabajo. Dios concede una gracia especial para sostenernos durante estos períodos, pero no se supone que sean la norma ni que se prolonguen en el tiempo. Esos períodos especiales pueden requerir cierta compensación en el corto plazo, tal vez con una siesta durante el día. Lo que conlleva problemas es el patrón habitual a largo plazo de privación del sueño.

Siesta

Muchas mujeres, incluida yo, hemos hallado que una siesta de veinte a treinta minutos durante el día mejora el rendimiento, el estado de ánimo, y las relaciones interpersonales. Incluso algunas compañías de alta tecnología como Google han establecido espacios o áreas para que los empleados tomen una siesta. Tal vez no siempre te quedes dormida, pero la relajación de una siesta puede ser increíblemente refrescante.

Medicina del sueño

¿Pero qué ocurre si has intentado todo esto y sigues exhausta por no poder dormir? No es que estés descuidando el descanso. No, estás desesperada por dormir, pero no lo logras. Tal vez el problema puede tener un componente físico, como los cambios hormonales asociados con la menopausia. Puede ser algo como apnea del sueño[16]. En todo caso, parte de la solución podría ser consultar con un especialista en medicina del sueño. Utiliza los múltiples y legítimos recursos provistos por Dios que están a tu disposición para ayudarte a dormir.

Teología del sueño

En última instancia, el descanso, al igual que todo lo demás, debe llevarnos al evangelio y al Salvador. Nos motiva a reflexionar acerca de la *muerte*, que todos cerraremos nuestros ojos como si estuviéramos durmiendo, y despertaremos en otro mundo (1Ts 4:14). Nos enseña acerca de nuestro *Salvador.* El hecho de que Jesús durmió (ver Mr 4:38) es tan profundo como el hecho de que «Jesús lloró» (Jn 11:35). Nos recuerda acerca de la total humanidad de Cristo, de que el Hijo de Dios

16. De acuerdo con el Centro para el control y la prevención de enfermedades, entre cincuenta y setenta millones de adultos en Estados Unidos tienen trastorno del sueño o insomnio. «Insufficient Sleep Is a Public Health Problem», Centers for Disease Control and Prevention, septiembre 3, 2015, http://www.cdc.gov/features/dssleep/.

se hizo tan frágil, tan débil, tan humano que necesitaba dormir. ¡Qué humildad! ¡Qué amor! ¡Qué ejemplo! ¡Qué consuelo! ¡Qué píldora para dormir! Es una ilustración de la *salvación*. ¿Qué estamos haciendo cuando dormimos? ¡Nada! Es por eso que Jesús utilizó el reposo como una ilustración de la salvación. «Vengan a mí todos ustedes que están cansados y agobiados, y yo les daré descanso» (Mt 11:28). Nos señala al *cielo*. Allí hay un reposo para el pueblo de Dios (Heb 4:9). Eso no significa que en el cielo nos quedaremos en la cama por largo tiempo. Significa que será un lugar de renovación, restauración, consuelo y perfecta paz.

Espero que esto te ayude a dormir más profundamente, ¡y a tener una teología más profunda! No, no necesitas descansar en un baño de hielo, pero ciertamente necesitas descansar para recuperar el cansancio de tu cuerpo y tu mente, para que puedas estar lista para la próxima estación en el Gimnasio *Renueva tu vida*: Recrear.

Estación 4

Recrear

Hace dos años me sometí a una cirugía para reparar mi cadera que estaba dañada y para restaurar el hueso. Luego del reposo inicial en muletas, la siguiente etapa de recuperación fue la reincorporación gradual del ejercicio. No era un entrenamiento intenso sino un suave reacondicionamiento y reeducación de tendones y músculos. Hacer demasiado y demasiado pronto provocaría más daño en lugar de la recuperación del buen funcionamiento de la pierna. Hacer demasiado poco dejaría los músculos débiles y disfuncionales. Recién a los seis meses me permitieron lanzarme y regresar al ejercicio normal. En este capítulo intentaremos encontrar ese equilibrio sabio entre la inactividad y la hiperactividad mientras buscamos la re-creación mediante la recreación, especialmente mediante el ejercicio corporal.

Quizá pienses: «¡Oh, no! Otra fanática del fitness que me va a decir que corra varios kilómetros, levante grandes mancuernas, beba extraños batidos de proteínas, y peor aún (mi mayor pesadilla), que use calzas de Lycra». No te preocupes, si aprenderás algo en este libro es a evitar extremos idealistas y a encontrar el equilibrio práctico. Pero antes de llegar a la sección más práctica, establezcamos los fundamentos de una teología del cuerpo centrada en el evangelio. Necesitamos este trasfondo porque la manera de comenzar un ejercicio físico habitual y mantenerlo no es tanto mediante una autodisciplina monástica o el entusiasmo intenso de algunos instructores de fitness, sino mediante las verdades inspiradoras y motivacionales del evangelio.

Teología del cuerpo

Aunque el mundo secular a menudo ha enfatizado el cuerpo en detrimento del alma, la iglesia a veces ha caído en el extremo opuesto de enfatizar el alma en detrimento del cuerpo. En algunos círculos, cualquier intento por cuidar el cuerpo es visto como algo que no es espiritual. Una mujer cristiana una vez me preguntó: «¿Por qué sales a correr? En lugar de eso, ¿por qué no haces algo como tejer?». A ella le parecía que correr era algo terrenal, mientras que tejer parecía ser algo más piadoso. Si hubiera visto lo mal que tejo, tal vez habría cambiado de parecer.

Sin embargo, la Biblia encuentra el camino equilibrado entre estos dos extremos y nos guía a cuidar tanto el cuerpo como el alma. El apóstol Pablo presenta su teología del cuerpo en 1 Corintios 6:9-20. Comienza admitiendo que el cuerpo humano ha sido dañado por el pecado (vv. 9-10). Sin embargo, eso no significa que simplemente nos olvidamos del cuerpo. No, Pablo dice que la redención de Cristo no es solo para el alma, sino también para el cuerpo. Es una salvación total de cuerpo y alma. Pablo insiste que «el cuerpo es... para el Señor, y el Señor para el cuerpo» (v. 13). Él lo creó, lo salvó y se interesa eternamente por él.

Además de eso, tu cuerpo es un miembro de Cristo (vv. 15-17). No solo nuestras almas son miembros de Cristo; también lo son nuestros cuerpos. Eso debería tener un efecto enorme sobre la manera en que los cuidamos. Piensa en esto la próxima vez que te mires en el espejo o te subas a la balanza.

Y más aún, tu cuerpo es templo del Espíritu Santo (v. 19). Es la casa del Espíritu Santo. Se ha instalado allí. Reflexiona acerca de cuánto te pareces a tu propia casa. ¿Cuánto más deberías parecerte a la casa del Espíritu Santo?

Y, si es posible, hay una motivación mayor aún. Tu cuerpo fue comprado con el precio de la sangre de Cristo (v. 20). Él lo compró con el rescate más alto jamás pagado. Intenta pensar en lo más costoso que jamás hayas comprado. ¿Fue un auto o una casa? ¿Cuánto lo protegiste y lo cuidaste? Ahora piensa en cuánto pagó Cristo por tu cuerpo y considera cómo estás administrando esta propiedad comprada con sangre. Pablo dice: «Ustedes no son sus propios dueños; fueron comprados por un precio» (vv. 19-20). Tenemos un nuevo dueño que ha pagado un alto precio por su propiedad. Reclama nuestros cuerpos como propios y nos llama a administrarlos para su gloria.

Es por eso que su llamado final es: «Honren con su cuerpo a Dios» (v. 20). La lógica de Pablo es simple. Dios te compró, cuerpo y alma. Por tanto, sírvele con cuerpo y alma. Tendremos que dar cuenta a Dios de cómo hemos usado su propiedad o abusado de ella, dándole un uso limitado o excesivo. Eso debería marcar una diferencia no solo en nuestra perspectiva acerca de nuestro cuerpo sino en la manera en que lo cuidamos.

Si esa es una teología del cuerpo, ¿qué implica en términos prácticos? ¿Cómo glorificamos a Dios con nuestro cuerpo? Eso depende, ya sea que pasemos la mayor parte de nuestra vida sentadas en un escritorio o estemos toda nuestra vida en pie.

Ponte de pie

Si nuestro trabajo incluye mucho tiempo sentadas, parte de la solución podría ser utilizar un escritorio con soporte levantado que te permitiría estar de pie al menos de vez en cuando a lo largo del día. Los investigadores han descubierto que las personas pasan sentadas más de nueve horas por día, lo cual resulta terrible para nuestra salud, aumentando nuestro riesgo de obesidad, diabetes, cáncer y enfermedades cardíacas[17]. Muchas personas, incluyendo a mi esposo David, han invertido en un escritorio con soporte levantado. Estos escritorios varían entre modelos básicos a otros más personalizados que suben y bajan presionando un botón. Es por eso que mis hijos más pequeños disfrutan ir a la oficina de papá, para jugar con su escritorio. En casa, David diseñó su propio escritorio con soporte levantado utilizando materiales que le costaron 50 dólares. Pero también necesitamos tener ejercicio intencional adicional en nuestra vida, ya seamos amas de casa o empleadas de oficina.

Ejercicio intencional

Definiría «ejercicio intencional» como aquel que se realiza exclusivamente para el beneficio del cuerpo, la mente y el alma. En otras palabras, tal ejercicio no está incorporado en nuestro trabajo ni es algo intrínseco a nuestra vida cotidiana. Puedes protestar: «¡Espera un minuto! Paso todo el día de pie (ocupada, ocupada, ocupada), y luego caigo exhausta en cama. ¿En serio me estás diciendo que necesito hacer ejercicio?».

Sí, eso mismo. Todas las investigaciones demuestran que el

17. P. T. Kazmarzyk, T. S. Church et al., «Sitting Time and Mortality from All Causes, Cardiovascular Disease, and Cancer», *Me•icine an• Science in Sports an• Exercise 41* (Mayo 2009): 998–1005, National Center for Biotechnology Information, https://www.ncbi.nlm.nih.gov/pubmed/19346988. Olivia Judson, «Stand Up While You Read This», *New York Times*, febrero 23, 2010, http://opinionator.blogs.nytimes.com/2010/02/23 /stand-up-while-you-read-this/. Neville Owen et al., «Too Much Sitting: The Population Health Science of Sedentary Behavior», *Exercise Sports Science Review* 38 (julio 2010): 105–13, http://www.ncbi.nlm.nih.gov/pubmed/20577058.

agregado de ejercicio mejora el equilibrio de vida y trabajo, en vez de dañarlo[18]. Permíteme ilustrar este principio con mi propia experiencia. Antes de mi agotamiento, mi vida era un remolino constante transportando niños de aquí para allá, poniéndolos y quitándolos de sus asientos de seguridad, yendo al supermercado, organizando citas, pagando facturas, haciendo llamados telefónicos y viajes inesperados a la sala de emergencia, arbitrando en discusiones, preparando lecciones, enseñando lecciones, corrigiendo lecciones, amamantando bebés mientras enseño a mi otro hijo a ir al baño solo, escribiendo mensajes de texto, respondiendo llamados telefónicos y correos electrónicos, preparando la comida, limpiando pisos pegajosos y derrames de jugo, etcétera. O dicho de otro modo, estar de guardia 24 horas, todos los días del año. En el trabajo, esto se reflejó en el estrés de ser una médica de guardia durante la noche en una isla remota de Escocia, sin saber si el próximo llamado sería una tos o un accidente automovilístico con víctimas fatales. Sí, eran muchas carreras. De hecho, me iba bien en todo eso, o eso pensaba. Pero mucha de mi actividad era mental, no física. ¿El resultado? El clásico estrés. Un constante remolino de adrenalina corriendo por mi cuerpo que mi actividad física esporádica nunca lograba expulsar satisfactoriamente, y el resultado era un daño mental y emocional. ¿Te ocurre lo mismo? ¿Andas de carrera constantemente, sin correr realmente? Hace mucho había olvidado mis épocas de correr y estaba demasiado ocupada para ejercitar intencionalmente. Luego llegó la venganza con un choque muy grande.

El ejercicio intencional y tu cerebro

El ejercicio físico moderado ayuda a expulsar químicos inútiles de nuestro sistema y estimula la producción de químicos útiles.

---

18. Russell Clayton, «Want a Better Work-Life Balance? Exercise, Study Finds», *Science Daily*, enero 9, 2014, https://www.sciencedaily.com/releases/2014/01/140109101742 .htm.

Fortalece no solo el cuerpo, sino también el cerebro. Las investigaciones han demostrado que caminar unos 3 kilómetros por día reduce en un 60 por ciento el riesgo de deterioro cognitivo y demencia, e incrementa la capacidad y la eficiencia en la resolución de problemas. Y además de los beneficios a largo plazo, el ejercicio activa el crecimiento de nuevas células cerebrales en el hipocampo y la liberación de factores neurotróficos, una especie de fertilizante mental que ayuda al cerebro a crecer, generar nuevas conexiones, y permanecer saludable[19]. El ejercicio y los patrones adecuados de descanso generan alrededor de un 20 por ciento de incremento de energía en un día promedio[20], mientras que ejercitar tres a cinco veces por semana tiene casi la misma eficacia que los antidepresivos frente a una depresión leve o moderada[21]. Reduce los niveles de estrés y aumenta la capacidad de resolución de problemas[22].

¿Pero por qué necesitamos esto si nuestras madres nunca supieron lo que son las calzas de Lycra? Una investigación reciente de la revista *Prima* comparó el consumo de calorías y la quema de calorías de las mujeres de 1950 con las mujeres modernas, y confirmó lo que tal vez todas nosotras sospechamos, que «las tareas del hogar y el ejercicio en general que hacían las amas de casa en 1953 obtenían mejores resultados en la pérdida de peso», quemando más de mil

---

19. Norman Doidge, «Our Amazingly Plastic Brains», The Wall Street Journal, febrero 6, 2015, http://www.wsj.com/articles/our-amazingly-plastic-brains-1423262095. Ver también Madhumita Murgia, «How Stress Affects Your Brain», *TeEd*, febrero 20, 2015, http://ed.ted.com/lessons/how-stress-affects-your-brain-madhumita-murgia; Nicole Spartano et al., «Midlife Exercise Blood Pressure, Heart Rate, and Fitness Relate to Brain Volume 2 Decades Later», *Neurology*, febrero 10, 2016, http://www.neurology.org/content/early/2016/02/10/WNL.0000000000002415.
20. Sam Fahmy, «Low-Intensity Exercise Reduces Fatigue Symptoms by 65 Percent, Study Finds», *UGA Today*, febrero 28, 2008, http://news.uga.edu/releases/article/low-intensity-exercise-reduces-fatigue-symptoms-by-65-percent-study-finds.
21. M. Babyak et al., «Exercise Treatment for Major Depression: Maintenance of Therapeutic Benefit at 10 Months», *Journal of Psychosomatic Medicine 62*, no. 5 (septiembre-octubre 2000): 633–38, http://www.ncbi.nlm.nih.gov/pubmed/11020092; Andrea L. Dunn et al., «Exercise Treatment for Depression: Efficacy and Dose Response», *American Journal of Preventive Medicine 28*, no. 1 (enero 2005): 1–8, http://www.ajpmonline.org/article/S0749-3797(04)00241-7/abstract.
22. Kirsten Weir, «The Exercise Effect», American Psychological Association, http:// www.apa.org/monitor/2011/12/exercise.aspx.

calorías por día mediante sus intensos y pesados deberes domésticos, mientras que la mujer promedio de hoy quema solo 556 calorías. Ellas caminaban a los mercados, mientras que nosotras vamos en auto; ellas llevaban caminando a sus hijos a la escuela, mientras que ahora van en bus o en auto; y nosotras tenemos lavadoras y lavavajillas, mientras que ellas hacían la mayor parte del lavado a mano; ellas caminaban para hablar con colegas en el trabajo, mientras que nosotras les enviamos coreos y mensajes de texto.

Pero no es solamente que quemamos menos calorías; también consumimos muchas más: 2.178 por día en la actualidad en contraste con 1.818 en ese entonces. Esto es principalmente porque antes comían comida más fresca que ahora. La editora de *Prima,* Marie Fahey, comentó: «Es contundente el hecho de que la tecnología moderna nos ha hecho dos tercios menos activos de lo que éramos. Esto demuestra la importancia del ejercicio en la batalla por mantener un equilibrio saludable»[23].

De acuerdo, entonces eso parece una tendencia bastante terrible. ¿Cómo hacemos las mujeres para incorporar ejercicio saludable a nuestro estilo de vida? La buena noticia es que no necesitamos vender nuestro lavavajillas o nuestra lavadora; estas son bendiciones de Dios. Pero ciertamente necesitamos añadir ejercicio intencional a nuestra vida, y quiero darles algunas pautas para hacerlo.

Prioriza el ejercicio

Si estás casada, y especialmente si tienes hijos, entonces cualquier programa de ejercicios necesita incluir la cooperación de tu esposo. Haz de ello una prioridad familiar, no solo para ti, sino también para tu esposo y tus hijos. Durante años David y yo no lo teníamos como

23. Ver «How 1950s Women Stayed Slim», *Daily Mail,* http://www.dailymail.co.uk /health/ article-191200/How-1950s-women -stayed -slim.html#ixzz4DARvkRgk. También Celia Hall, «How 1950s Wives Kept Fit on a Diet of Hard Work», *Telegraph,* agosto 5, 2003, http://www.telegraph. co.uk/news/uknews/1438033/How-1950s-wives-kept-fit -on-a-diet-of-hard-work.html.

prioridad para nosotros mismos, a pesar del hecho de que el deporte había sido una parte tan importante de nuestra vida en nuestra juventud. La verdad es que ambos pensamos que ese estado físico natural de nuestra juventud nos acompañaría a lo largo de la vida. Eso fue hasta que David sufrió una embolia pulmonar (coágulos de sangre en sus pulmones) y hernias a los 45 años. Mi agotamiento había sido diez años antes. Pero ahora ambos entendemos, de manera clara y rotunda, que el ejercicio debe ser una prioridad si queremos mantener el estado físico y mental para servir al Señor por muchos años.

Las mujeres que trabajan también enfrentan el desafío de hacer espacio para el ejercicio luego de un día de trabajo agotador. Mi amiga Kay, una contadora, hace ejercicio temprano en la mañana antes del trabajo. Otras utilizan su hora de almuerzo. A las mujeres más jóvenes a menudo les resulta útil participar en deportes universitarios o en ligas deportivas recreativas, donde la combinación de ejercicio con la interacción social es una gran motivación.

Dificultades para ejercitar

Varias cosas pueden obstaculizar el ejercicio habitual. Cuando vivíamos en la isla de Escocia, el clima hacía que el ejercicio al aire libre fuera difícil durante el invierno. Los fríos y fuertes vientos y la lluvia horizontal hacían que caminar o correr fuera una experiencia deplorable. Los inviernos en Michigan también hacen que caminar y correr sea difícil. En tu caso, puede ser que vivas en una ciudad ajetreada sin lugar para caminar o correr alejada del constante bullicio del tránsito. Para otras mujeres es posible que sus esposos no puedan llegar del trabajo hasta tarde, demasiado tarde para que vayan a hacer ejercicio y se renueven.

En respuesta a estas dificultades, muchas mujeres han intentado armar un pequeño gimnasio en casa, que a algunas les funciona bien. A mí me resultó difícil hacer ejercicio en casa debido al factor aburrimiento de correr en una cinta y debido a las demasiadas interrupciones de mis hijos, y me estresaba intentando preparar la cena en medio de breves ráfagas en la cinta. A juzgar por la cantidad de bicicletas, cintas ergométricas, colchonetas, pesas y otros accesorios para fitness que veo en internet o en ventas de garaje, sospecho que muchas otras mujeres tienen el mismo problema.

Otra dificultad es la idea preconcebida de que solo un ejercicio es adecuado para ti. Siempre había considerado que correr era el mejor ejercicio para mí. Gracias a Dios, llegué a darme cuenta de que existe una gran variedad de otras opciones. Tal vez vives sola pero no quieras hacer ejercicio sola. Reúnete con una amiga para hacer ejercicio, inscríbete en un gimnasio, o quizá incluso consigue un perro; uno que necesite caminar todos los días. La compañía definitivamente ayuda.

Planifica el ejercicio

Con el ejercicio, me he dado cuenta de que, a menos que esté en mi agenda, no ocurrirá. Tengo dos sesiones grupales de fitness en mi agenda semanal, y al comienzo de cada semana me reúno con David y mis hijos para asegurarnos de que nuestras agendas no se superpongan. Si surge algo, entonces cambio mi turno del gimnasio y lo agendo en otro mejor momento. Más allá del lugar donde hagas ejercicio, en un gimnasio, en tu vecindario o en tu sótano, el tiempo debe estar establecido de antemano y debe ser protegido. Si planificas ejercitar mientras tienes hijos que necesitan a alguien que los cuide, busca un momento cuando tu esposo pueda cuidarlos, o llévalos a la guardería del gimnasio (como hago yo). Ese tiempo de ejercicio ininterrumpido tiene un doble beneficio: reanimación física y renovación mental, re-creación mediante la recreación. Como me dijo Sara acerca de su simple rutina de gimnasia: «El tiempo sin interrupciones es casi tan bueno como el ejercicio mismo».

Consigue asesoramiento

Si estás realmente fuera de forma, debes visitar a tu médico antes de realizar cualquier programa de ejercicios. David pidió asesoramiento a uno de sus alumnos, que resultó ser instructor en el gimnasio del vecindario. A través de él, asociamos allí a toda la familia y comenzamos un camino familiar que hemos llegado a amar. Descubrimos una enorme variedad de clases, equipamiento, opciones de natación, opciones para correr, y un área especial para niños. Los empleados e instructores son alentadores y entusiastas, y siempre están dispuestos a guiar e instruir en las mejores maneras de usar el equipamiento y alcanzar nuestras metas.

Lo maravilloso acerca de nuestro gimnasio local es que también es uno de los principales centros de rehabilitación de la ciudad para quienes tienen dificultades físicas. Junto con personas sin ninguna discapacidad hay veteranos de guerra heridos, algunos con piernas mecánicas, ancianos que tuvieron derrame cerebral, y niños con parálisis cerebral.

Es un lugar de una diversidad maravillosa: personas delgadas y rellenas, muchachos débiles y hombres musculosos, adolescentes, personas de mediana edad y mayores, todos con la meta de mejorar su estado físico. No es inusual ver personas de cada uno de estos grupos corriendo en la pista de atletismo al mismo tiempo. Por eso, toda la experiencia es renovadora, motivadora e inspiradora. Hay espacio para todos. ¡Esto me hace recordar a la iglesia de Cristo y su diversidad! Salgo de ese lugar sintiéndome renovada y lista para el próximo desafío.

Establece un objetivo claro

La clave para ejercitar con regularidad no es tanto *qué* hacemos sino *por qué* lo hacemos. Es vital que tengas un objetivo claro que te motive. La meta puede ser perder peso, fortalecer los músculos, aumentar la energía o simplemente relajarte. En mi caso, mi motivación era la energía y el tono muscular (luego de que mi cuerpo soportara una paliza de cinco embarazos), y la renovación mental y emocional.

Avanza despacio

Sé realista. Conoce tu objetivo y avanza gradualmente hacia él, ya sea caminar cinco kilómetros, correr cinco kilómetros, levantar 20 kilogramos, o lo que sea. Comienza con una distancia mucho menor o con menos peso. De esa manera, no te lastimarás y lo disfrutarás. Aquí es donde una clase es muy útil. Allí ves a otras personas en diferentes etapas alcanzando sus objetivos, y recibes muchos consejos acerca de lo que es apropiado, seguro y realizable. Cuando encontré una clase de fitness adecuada para mis objetivos, al comienzo intenté seguir el ritmo de las otras participantes, muchas de las cuales estaban levantando pesas grandes. Hacia el final de la clase estaba retorciéndome y tambaleándome como gelatina. Mi personalidad tipo A me venció. Si hubiera sido sensata y mucho más humilde, habría imitado a las mujeres con pesas más livianas. La segunda vez, tuve que armarme de humildad. Dos años más tarde puedo afrontar hierros más pesados y estoy mucho más fuerte. Así que comienza despacio y, si es necesario, trágate tu orgullo. A mí me llevó un año hasta que tuve el valor de comprarme calzas de Lycra.

Sigue una rutina semanal

A causa del poder del hábito, es más fácil hacer algo habitual y rutinariamente que hacerlo solo cuando sientes ganas o puedes añadirlo en tu agenda. Yo voy a la misma clase grupal de fitness dos veces por semana. Eso incluye ejercitar los principales grupos musculares, hacer series, y gastar un montón de energía. Lo disfruto tanto que iría todos los días si pudiera, pero necesito equilibrio, no extremos. Ocasionalmente agrego otra sesión. Durante mi clase, mis hijos adolescentes a menudo nadan o hacen sus propios ejercicios, y mi bebé disfruta una hora en su clase de juego en el área de niños.

Juega

Es muy importante que disfrutemos el ejercicio que hagamos. Si solo estamos haciendo mecánicamente los kilómetros, las series, las repeticiones y las clases, el ejercicio se volverá simplemente otro tipo de objetivo de desempeño y pasará de ser una gracia que se recibe a una ley que se debe obedecer. Todo el placer y el beneficio se esfumará, y al final nos rendiremos.

Busca variedad. Varía tus clases. Varía el ejercicio que eliges hacer cuando cambian las estaciones del año. El ejercicio al aire libre en los hermosos días soleados es difícil de superar. Juega al aire libre con tus hijos en el jardín o la piscina. El ejercicio habitual te pone en forma lo suficiente como para disfrutar estas sesiones de diversión.

Rinde cuentas

Mantener un registro de tu ejercicio diario también puede ser la base de rendición de cuentas con tu esposo, un instructor o una amiga. También es divertido conversar con tu familia y tus amigas acerca de lo que disfruta cada una al ejercitar cada día. Están desarrollando hábitos renovadores y re-creadores para la vida de cada una de ustedes. Actualmente hay una cartelera publicitaria al costado de nuestra autopista local que muestra una imagen de niños haciendo ejercicio y contiene este lema:

Ellos aprenden mirándote a ti.
¡Sé más activo y tus hijos también lo serán!

Pero ahora, luego de todo el ejercicio, estarás contenta de saber que vamos a relajarnos. Sí, necesitamos que nuestros cuerpos se mantengan activos, pero también necesitamos aprender cómo y cuándo relajarnos, tanto física como mentalmente. La vida al ritmo de la gracia recibe la bendición de transpirar, pero también la bendición de relajarse.

Estación 5

Relajarse

Desde que nació mi primer hijo, mi madre me ha dicho en ocasiones: «¡Shona, sé buena contigo misma!». Bien, pueden pensar que suena como un consejo que no es nada bíblico. ¿Desea que me vuelva egoísta? De hecho, suena aún más extraño viniendo de mi madre, cuya vida entera ha estado definida por el servicio cristiano y la abnegación. Desde que tengo memoria, trabajó incansablemente con la fuerza de Dios desde la mañana hasta la noche, cuidando a nuestra familia y sirviendo al pueblo de Dios en cada oportunidad. Pero también tenía otras dos costumbres que considero que la han preservado hasta ahora en sus ochenta y nueve años. Dormía una siesta y miraba el noticiero. De hecho, todavía lo hace. Sin importar cuán ocupada esté, sabe cuándo detenerse por unos pocos minutos o más, y recargarse con una pequeña siesta y una breve dosis de política, cosa que siempre le ha fascinado.

Es por eso que cada vez que me veía corriendo frenéticamente de una responsabilidad a la otra (lo cual ocurría con frecuencia), me advertía: «¡Shona, sé buena contigo misma!». En otras palabras: «Deja lo que estás haciendo, toma un descanso, y renueva tus fuerzas».

Es por eso que esta estación del Gimnasio *Renueva tu vi•a* se llama «Relajarse» y nos hace salir de nuestro estilo de vida frenético.

¿Sra. Frenética o Sra. Reflexiva?

Tal vez hayas conocido a la Sra. Frenética. Llega al gimnasio a las 8 de la mañana. Horas más tarde, sigue ejercitando en la cinta, levantando pesas, y haciendo fuerza en la máquina de remo, apenas deteniéndose para tomar algunos sorbos de su botella de agua. Se ve agotada, abatida, y a punto de desmayarse, pero sigue adelante. Le preguntas por qué está haciendo esto, y responde: «Porque debo hacerlo». Cuando insistes, preguntando: «Pero, ¿por qué debes hacerlo?», te mira de manera extraña, y exclama con impaciencia: «¡No lo sé, simplemente debo hacerlo! Siempre hay más cosas por hacer».

La Sra. Reflexiva también comienza a primera hora, 8 de la mañana, pero es diferente. Usa las mismas máquinas y ejercita con el mismo esfuerzo en algunos momentos, pero no todo el tiempo. De vez en cuando disfruta un trago refrescante de agua fría. A veces se detiene para mirar por la ventana y simplemente observar cómo avanza el mundo. Se ríe con los niños que salpican en la piscina de al lado. Incluso encuentra a una amiga que está ejercitando y tiene tiempo para saludarla, ofrecerle una gran sonrisa alentadora, y a veces charlar. Ahora puedes preguntarte: «¿Cuál de estas dos imágenes refleja como vivo mi vida ante Dios?». ¿Soy la Señora Frenética o la Señora Reflexiva? ¿Estoy trabajando en exceso y demasiado estresada, o estoy tomando tiempo para pensar y para disfrutar el mundo de Dios?

El mundo de Marta

«Las mujeres se matan trabajando» advirtió el título de un artículo reciente[24]. Este artículo estaba basado en un estudio combinado de la

24. Jessica Mattern, «Women Are Working Themselves to Death, Study Shows», Woman's Day, julio 5, 2016, http://www.womansday.com/health-fitness/news/a55529 /working-women-health-risks/.

Universidad estatal de Ohio y la Clínica Mayo que compararon casi ocho mil hombres y mujeres durante un período de treinta y dos años y encontraron que trabajar más de cuarenta horas por semana perjudicaba seriamente la salud de las mujeres, causando un aumento de riesgo de ataques al corazón, cáncer, artritis y diabetes[25]. Trabajar más de sesenta horas por semana triplicaba el riesgo de padecer esas enfermedades. No sorprende que el autor principal del artículo, el profesor Allard Dembe, advirtiera: «Las personas no piensan tanto acerca de cuánto las primeras experiencias laborales los afectan a lo largo del camino... Las mujeres a sus veinte, treinta y cuarenta años se están provocando problemas para el resto de su vida». Sorpresivamente, los riesgos son elevados sólo para las mujeres, no para los hombres. Otros estudios llevaron a los investigadores a concluir que el mayor riesgo para la mujer no se debe necesariamente a que ellas sean más débiles, sino a que están haciendo mucho más que los hombres:

> Además de trabajar en un empleo, según los sociólogos, las mujeres llegan a casa a un «segundo turno» de trabajo donde son responsables del cuidado de niños, las tareas rutinarias, los quehaceres domésticos, y más. Todo este esfuerzo en el hogar y en el trabajo, sumado a todo el estrés que conllevan estas tareas, está afectando severamente a las mujeres. Las investigaciones indican que las mujeres generalmente asumen mayores responsabilidades familiares y por eso puede ser más probable que experimenten una sobrecarga en comparación con los hombres[26].

El Profesor Dembe señaló además una menor satisfacción en el trabajo

25. Misti Crane, «Women's Long Work Hours Linked to Alarming Increases in Cancer, Heart Disease», Ohio State University, junio 16, 2016, https://news.osu.edu/news/2016 /06/16/overtime-women/.
26. Mattern, «Women Are Working Themselves to Death, Study Shows».

entre las mujeres porque también tienen que hacer malabares con tantas obligaciones en el hogar. Pero este no es un problema sólo en la cultura en general; también es un problema en la población cristiana. Una encuesta de más de mil mujeres cristianas, patrocinada por la revista *Christian Woman*, encontró que el 60 por ciento de las mujeres cristianas trabajan a tiempo completo fuera del hogar. Reflexionando acerca de esto, la autora del libro *Having a Mary Heart in a Martha Worl•* [Tener un corazón de María en un mundo de Marta], Joanna Weaver, comentó: «Añade los quehaceres del hogar y los recados a una carrera de cuarenta horas por semana, y tienes una receta para el agotamiento». Pero también advirtió a las amas de casa: «Las mujeres que escogen quedarse en casa hallan sus vidas igualmente repletas. Persiguiendo infantes, transportando niños a las prácticas de fútbol, ofreciéndose como voluntarias en la escuela, cuidando los hijos de la vecina... la vida parece frenética en todo nivel»[27]. Tal vez ahora estés mirando a la Sra. Frenética en el espejo o escuchándola en tu corazón y en tu mente.

Nuestra orquesta interna

Todos los cristianos quieren conocer más a Dios; pocos cristianos le dedican el silencio que esto requiere. Más bien, pasamos nuestros días haciendo retumbar fuertemente en nuestros oídos y en nuestra alma los platillos que rompen el silencio y destruyen el conocimiento. Con tantas campanas y estruendos en nuestra vida, a veces puede ser difícil aislarlos e identificarlos. Así que permíteme ayudarte a hacerlo y después proveerte algunos silenciadores[28].

Primero sentimos el estrépito de la culpa, la vergüenza y la incomodidad de nuestros secretos morales oscuros: pensamientos como

---

27. Joanna Weaver, Having a Mary Heart in a Martha World (Colorado Springs, CO: Waterbrook, 2000), 7.
28. Parte de esta sección fue anteriormente publicada en Tabletalk, la revista mensual de Ministerios Ligonier. Usado con permiso.

«debí hacer esto... no debí hacer aquello... debí hacer... no debí hacer...» suenan estrepitosamente en nuestros recesos profundos, destrozando nuestra paz y perturbando nuestra tranquilidad.

Luego la codicia comienza a retumbar en nuestro corazón con sus golpes incesantes: «Lo quiero... lo necesito... debo tenerlo... voy a tenerlo... lo tengo... lo quiero... lo necesito...», etcétera, etcétera.

Y ¿qué es ese furioso golpeteo metálico? Es odio suscitando malicia, mala voluntad, resentimiento, y venganza: «¿Cómo pudo ella...? ¡Lo atraparé...! ¡Ella pagará por esto!». Por supuesto, el enojo muchas veces retumba en el platillo de la controversia, provocando desacuerdos, debates, disputas, y divisiones.

La vanidad también agrega su batacazo orgulloso y altivo, ahogando a todo aquel que compite con nuestra belleza, nuestros talentos, y nuestro estatus. «Yo arriba... él abajo; yo arriba... ella abajo; yo arriba... todos abajo».

La ansiedad también repica en segundo plano distrayéndonos, inspeccionando el pasado, el presente, y el futuro buscando cosas por las cuales preocuparnos: «¿Y qué tal si...? ¿Y si...? ¿Y si...?». ¿Y eso que escucho es el pequeño triángulo de la autocompasión: «¿Por qué yo...? ¿Por qué yo...? ¿Por qué yo...?».

El tintineo monótono e imparable de la expectativa viene desde todas las direcciones: familiares, amigos, empleadores, iglesia, y, especialmente, de nosotras mismas. Oh, si tuviéramos al menos unos pocos segundos de respiro de la tiranía de las exigencias de los demás y especialmente de nuestra consciencia demandante e hipersensible.

Y destrozando nuestras vidas donde sea que miremos, chocamos con los gigantes platillos de los medios de comunicación y la tecnología: local e internacional, en papel y en píxeles, en sonido e imagen, en audio y video, en alarmas y zumbidos, notificaciones y recordatorios, y así continúa sin detenerse.

¿Resulta extraño que a veces nos sintamos como si nos

estuviéramos volviendo locos? Vivimos en medio de constantes ruidos y chirridos, tamborileos y tañidos, traquidos y tintineos, chasquidos y golpeteos; una gran y discordante orquesta de címbalos que perturban la paz, y devastan el alma.

Entonces leemos:

«Quédense quietos, reconozcan que yo soy Dios».

¿Pero cómo?

Silenciando los platillos

Podemos silenciar los platillos de la culpa confiando en la sangre de Cristo y diciendo: «¡Cree!». Cree que todos tus pecados fueron pagados y perdonados. No hay absolutamente ninguna razón para tener siquiera una pizca de culpa. Observa esa sangre hasta que entiendas cuán preciosa y cuán efectiva es. Puede hacerte más blanco que la nieve y puede serenar tu conciencia más que el rocío de la mañana.

No es fácil silenciar la codicia. Quizá lo mejor que puedas esperar sea reprimirla. Practica contentarte con menos de lo usual, no comprando incluso cuando algo esté a tu alcance, comprando solo lo necesario durante un tiempo, y pasando tiempo a la sombra del Calvario. ¡Reconocerás cuánto menos necesitas al ver todo lo que Cristo dio! Elabora tu presupuesto en la cruz (2Co 8:9).

Nuestro enojo impío sólo puede ser tranquilizado por el enojo santo de Dios. Cuando sentimos la profunda ira de Dios contra todo pecado y toda injusticia, comenzamos a tranquilizarnos y calmarnos. La venganza es de Dios; él pagará.

La doctrina de la depravación total es el máximo impedimento para la vanidad personal. Cuando me veo a mí misma como Dios me ve, cambian mi corazón, mi mente, e incluso mi postura. Dejo de competir por el lugar más alto y comienzo a aceptar el más bajo. «A él le toca crecer, y a mí menguar» (Jn 3:30).

¡Oye! Comienzo a escuchar algo de silencio ahora. Pero aún queda esa exasperante ansiedad sonando a lo lejos. ¡Oh, si fuéramos libres de eso!

Paternidad.

¿Qué?

Sí, la paternidad de Dios puede llevar a cero el volumen de la ansiedad. Él te conoce, se preocupa por ti, y suplirá tus necesidades. Silencia tus «y si» en el comedero de aves (Mt 6:25-34). Como me dijo Sara, madre de dos hijos: «A veces las cosas que pueden comenzar tu agotamiento o provocar tu cansancio suelen ser cosas que puedes dejar. Sólo porque te sientas agotada por las responsabilidades acerca de tu esposo y tus hijos no significa que puedas simplemente levantarte e irte; ¡a veces ni siquiera por una tarde! A veces simplemente debes bajar la cabeza y persistir; pero al mismo tiempo es importante llevar a nuestro Padre en el cielo nuestras emociones, nuestra debilidad y nuestro cansancio».

Oh, y llama nuevamente a la depravación total cuando la autocompasión arremeta. La pregunta «¿por qué a mí?» no puede resistir mucho ante «¿por qué no a mí?».

«Ella hizo lo que pudo» (Mr 14:8). ¿No te encantan las palabras de Cristo a María cuando ella ungió su cabeza? ¡Cómo destruye las expectativas! Cada vez que el diablo despótico, otras personas, o tu propia conciencia tirana demanden más de lo que puedes dar, recuérdales las palabras reconfortantes de Jesús: «Ella hizo lo que pudo».

¿Ese creciente silencio no es valioso como la plata? Pero puede convertirse en oro si haces un esfuerzo extra y lidias con la intrusión ruidosa de los medios de comunicación y la tecnología. Es ahí donde quiero enfocarme en las siguientes páginas.

Renovación diaria

Todas hemos visto que los recorridos de maratón o triatlón tienen muchas paradas para refrescarse a lo largo del camino. Sin ellas, los corredores colapsarían por deshidratación y agotamiento. Me gustaría ayudarte a desarrollar algunas pausas para refrescarte en tu vida, con la intención de reducir tu velocidad y aquietar tu corazón y tu mente. Primero, haremos algunas pequeñas pausas *diarias*; luego tendremos una pausa *semanal* más grande antes de concluir con una pausa *anual*.

El diluvio digital

La tecnología digital nos está matando. Está matando nuestra alma y nuestro cuerpo. Está matando nuestros matrimonios, nuestras familias y nuestras amistades. Está matando la comunicación cara a cara y las relaciones interfamiliares. Está matando nuestra mente, especialmente nuestra capacidad para enfocarnos y concentrarnos. Está matando la comunión con Dios, usurpando la comunicación con él como lo primero que hacemos en la mañana y lo último en la noche. Está matando nuestra paz con su interminable aluvión de notificaciones, pitidos y zumbidos. Está matando nuestra mesa familiar mediante constantes interrupciones y distracciones. Está matando la voz de Dios a lo largo del día mientras llenamos cada detención en el tránsito y en el baño chequeando las redes sociales. Está matando nuestra moralidad con el tsunami de pornografía que ahoga a multitudes de jóvenes y adultos, hombres y mujeres. Está matando nuestra salud, especialmente haciendo nuestro descanso más corto, más superficial y más interrumpido. Está matando nuestra admiración de la belleza ya que pasamos al lado de cosas espectaculares con nuestros rostros hundidos en el agujero negro de nuestros dispositivos. Está matando nuestra educación ya que las redes sociales distraen y entretienen a los estudiantes en las aulas, las salas de conferencias y las bibliotecas. Está matando nuestras finanzas ya que roba el tiempo productivo de trabajo a nuestros empleadores para desperdiciarlo en trivialidades. Está matando el servicio a los demás ya que nos fotografiamos a nosotras mismas hasta caer en la obsesión. Está matando nuestra identidad ya que desarrollamos y proyectamos tantas identidades en las redes sociales que nos hemos olvidado de quiénes somos en realidad. Está matando nuestra privacidad ya que todo momento ahora está digitalizado no solo para el archivo familiar sino para ser subido instantáneamente al mundo para recibir «me gusta» y corazones de personas totalmente desconocidas. La tecnología digital ha traspasado cada parte de nuestro ser y nos está consumiendo la vida.

¿Quieres recuperar un poco de sensatez? He descubierto tres maneras útiles para calmar mi uso de tecnología digital, generar tiempos de quietud en mis días y renovar mi vida interior. No puedo decir que lo hago de manera perfecta, pero esto sería mi ideal.

1. *Silenciar las notificaciones •el teléfono y el computa•or.* Nos hemos vuelto adictas a los zumbidos y sonidos del teléfono. Apagar estas notificaciones rompe el elemento adictivo, pero también concede a la mente el tiempo y el espacio para relajarse o concentrarse en tareas sin constantes distracciones e interrupciones.

2. *Limitar las veces que revisamos •ispositivos.* La persona promedio revisa su teléfono nueve veces por hora, y 110 veces por día, siendo las horas punta entre las 5 y las 8 de la noche. El informe anual para 2013 acerca de tendencias de Internet de Kleiner Perkins Caufield y Byer reportó que el usuario promedio chequea el teléfono cerca de 150 veces por día[29]. Si cada vez toma sólo un minuto (y generalmente es más que eso), perdemos por día entre dos y tres horas

29. Mary Meeker y Liang Wu, «Internet Trend Conference 2013», *Kleiner Perkins Caufiel• an• Byers*, mayo 2013, http://www.kpcb.com/blog/2013-internet-trends.

de productividad o relajación. Según el centro de investigación Pew Research Center, las mujeres pasan un promedio de doce horas por semana en las redes sociales; ¡eso es casi dos horas por día![30] Una de mis amigas quedó espantada cuando le dije esto, pero después de pensarlo, admitió: «¡Puedo ver esa realidad! No parece mucho porque son sólo unos pocos minutos acá y unos pocos minutos allá, pero se suman».

En mi campaña por lograr paz y quietud, reviso el correo solamente tres o cuatro veces por día y las redes sociales sólo una vez por día. A menos que algo sea realmente urgente, no respondo inmediatamente; lo mismo con los mensajes de texto y el correo de voz. Intento responder todos los mensajes en el momento del día que dedico a las tareas administrativas. No llevo el teléfono conmigo de acá para allá en la casa. En vez de eso, lo dejo en algún lugar fuera de mi alcance, reduciendo la probabilidad de revisarlo de manera compulsiva. Limitar las veces que lo reviso también garantiza que estoy presente en cuerpo y mente con mis hijos y mi esposo. En el jardín, hago lo mismo. Los teléfonos están prohibidos en la mesa durante la comida y durante las devociones familiares. Aunque hay algunas circunstancias excepcionales cuando la situación familiar de alguna persona o las responsabilidades laborales podrían necesitar una mayor conexión con el teléfono, la mayoría de nosotras puede fácilmente reducir de manera considerable nuestra dependencia del teléfono.

3. *Encontrarse con Dios en primer lugar.* Cuando comienzo mi día con el correo electrónico, las redes sociales o las noticias, mi lectura de la Biblia y oración posterior son un caos de distracción. Primero prefiero tomar una taza de té, disfrutar el silencio y encontrarme con Dios. Luego puedo comenzar el día con mayor quietud mental. Esto hace el día propicio para estar enfocada en Dios más que en otras personas

---

30. Veronica Jarski, «The Women of Social Media: Digital Influencer Study», *Market-ingProfs*, abril 20, 2013, http://www.marketingprofs.com/chirp/2013/10575/women-of-social-media-digital-influencer-study.

o cosas. También concede a mi mente un descanso muy necesario. Como dije, esto es mi ideal. No puedo decir que siempre logro hacerlo así, pero cuando lo logro, disfruto mucha más paz y productividad. Siempre estoy buscando nuevas maneras de reducir el estímulo digital y aumentar la quietud mental, como no revisar el teléfono cuando estoy haciendo fila, o utilizando la función «ocupado» en los dispositivos. Los experimentos con ratones han descubierto que dos horas diarias de silencio produjeron nuevas células cerebrales en el hipocampo, el área del cerebro asociada con el aprendizaje, la memoria y las emociones[31]. Si produjo eso en los ratones, ¡lo que podría hacer por ti!

El refugio femenino

Tal vez hayas oído acerca de la moda del «refugio femenino». Es básicamente un pequeño cobertizo en el jardín reservado sólo para una persona. Generalmente está pintado con lindos colores, rodeado por un pequeño jardín de flores y plantas, y es un lugar para que estés sola y tengas un tiempo alejada de todos los demás sin interrupciones. En un vídeo reciente acerca de «refugios femeninos», la psicóloga Jane Greer comentó: «Cuando estás cansada de dar a tu familia, a tu cónyuge, a todas las personas y las cosas que te rodean, necesitas poder dar a ti misma, y esta es una gran manera de hacerlo»[32].

Pero no hay necesidad de dirigirte de inmediato a la tienda de materiales de construcción. No necesitas un refugio femenino para tener una hora femenina. Una de las primeras cosas que hago al aconsejar a mujeres con depresión es pedirles que agenden una hora en el día para detener lo que están haciendo, encontrar un lugar de quietud, y leer un libro o hacer algo creativo. Las mujeres con trabajos

---

31. Imke Kirste et al., «Is Silence Golden? Effects of Auditory Stimuli and Their Absence on Adult Hippocampal Neurogenesis», *Research Gate*, Diciembre 1, 2013, https:// www.researchgate.net/publication/259110014_Is_silence_golden_Effects_of_auditory _stimuli_and_their_absence_on_adult_hippocampal_neurogenesis.
32. «Seen at 11: She Sheds», CBS New York, https://www.youtube.com/watch?v= -_Dkmyj2ZOg.

de mucha presión, madres de hijos pequeños, y madres que siguen el modelo de educación escolar en el hogar, necesitan hacer esto por causa de las constantes demandas que sus circunstancias exigen durante todo el día. Una mujer soltera muy eficiente que conozco, que se entrega totalmente a otros, se refugia habitualmente en una cafetería. Elige un asiento junto a la ventana y disfruta relajarse leyendo un buen libro, escuchando un sermón o simplemente mirando por la ventana y pensando. Ella dijo: «Hay algo en una cafetería y en mi amor por el café que genera un ambiente positivo para mi mente». Para ella, la música es especialmente refrescante para el alma: «Puede ser música clásica, música cristiana contemporánea, himnos antiguos y salmos; escuchar música es terapéutico para mi mente y me ayuda a regular mi ritmo durante el día».

Es especialmente difícil implementar estos tiempos de soledad cuando hay niños alrededor porque ellos quieren y necesitan la atención y el cuidado de mamá. No puedes simplemente decirle a tu hijo de dos años que se lastimó: «Estoy en mi momento de soledad. Nos vemos más tarde». Pero aquí hay algunas soluciones que me han funcionado a mí y a otras mujeres. Primero, si tienes hijos muy pequeños, puedes utilizar sus siestas para tener una hora femenina. Usar esa preciosa hora para ordenar la casa simplemente te consume aún más, y pronto todo estará nuevamente desordenado de todas maneras.

Segundo, pide a una amiga o una mujer mayor con menos demandas sobre su tiempo que venga a cuidar a tus hijos durante una hora algunas veces por semana. Un acuerdo así no necesita ser permanente, pero puede ser útil hasta que te repongas.

Tercero, los padres pueden intentar llegar del trabajo más temprano y encargarse de la rutina del baño y de ponerlos a dormir, permitiendo que la mamá tenga una hora para recargarse en vez de otra hora de consumir el combustible del tanque.

Cuarto, utiliza un corralito para resguardar a tus hijos mientras juegan, y luego barreras de contención para niños cuando van creciendo. Durante una hora cada mañana los ponía en sus habitaciones y cerraba la barrera de contención, quedándome lo suficientemente cerca como para escucharlos. Los primeros días gritaban hasta hacer temblar la casa, pero luego se acostumbraron e incluso comenzaron a disfrutarlo. Eso les daba una oportunidad de jugar con sus juguetes sin que los hermanos más grandes interfirieran.

Algunos piensan que enjaular o «encarcelar» a los hijos detrás de una barrera es una tortura. Pero no hacerlo puede ser una forma de torturarte a ti misma. Como lo expresó el Dr. Greer, cuando estás agotada, necesitas recargarte para poder brindarte a los demás nuevamente. Además, los niños aprenden a jugar con la imaginación y a ser creativos cuando los dejamos que se entretengan por sí solos. Ellos descubren cómo estar contentos y felices en su propio mundo pequeño durante una hora.

La mayoría de las mujeres que comienzan a tener su hora femenina para ayudar a su sanidad, con el tiempo la incorporan como parte permanente de sus vidas cotidianas. Llegan a verla casi como unas mini vacaciones cada día, algo que esperan, algo que disfrutan en el momento y de lo cual obtienen un beneficio para el resto del día. Un consejero le dijo a una de mis amigas que recordara las instrucciones que ofrecen en el avión acerca de las máscaras de oxígeno: «Ponte primero tu propia máscara de oxígeno; luego ayuda a tus hijos». La hora femenina significa ponerse la máscara de oxígeno para poder ser una mejor madre para nuestros hijos, una mejor esposa para nuestro esposo, una mejor empleada para nuestro empleador, y por tanto una mejor sierva de Cristo.

Uso de tu hora femenina

¿Cómo deberías utilizar tu hora femenina? Elige entre tus pasatiempos, manualidades, jardinería, lectura; cualquier cosa que rompa la monotonía y el aburrimiento de la maternidad o que alivie el estrés y la presión de la vida laboral. Idealmente será algo que te conceda tanto placer que te olvides de ti misma, de tus circunstancias, y de tus responsabilidades, dejándote renovada y restaurada. Por supuesto, algunos pasatiempos necesitan más de una hora. En Escocia, David a veces cuidaba a los niños mientras yo iba a pescar en un río tranquilo cada dos semanas. Aún si regresaba con las redes vacías, era muy bueno vaciar mi mente y no pensar en nada durante algunas horas.

Las manualidades, al igual que los pasatiempos, ayudan a satisfacer la necesidad humana de ver algunos resultados de nuestro trabajo, lo cual lamentablemente no es muy frecuente en muchos ámbitos laborales y en nuestra tarea diaria de crianza y administración del hogar. Una joven mujer que conozco disfruta hacer ella misma pequeños proyectos hogareños: «A menudo me gusta restaurar pequeños muebles o cualquier cosa que implique trabajar con madera. También disfruto preparar pequeñas canastas con regalos para mis amigas de la universidad que están lejos de casa o alguna amiga que necesite un poco de aliento. Es algo pequeño, pero es una manera de servir a otros». Luego está mi amiga fanática del acondicionamiento físico, cuya versión de la hora femenina es ir al gimnasio, levantar pesas y empezar a sudar. Somos todas tan diferentes, ¿verdad?

Si te falta imaginación o creatividad, observa algún recurso como Pinterest. En nuestra iglesia, mujeres solteras y casadas de todas las edades organizan una noche mensual de Pinterest, lo cual con frecuencia genera otra oportunidad de comunión restauradora y llena de gracia. Para aquellas como yo que no tenemos una habilidad natural, estas mujeres traen sus ideas y sus habilidades, mientras nosotras disfrutamos la amistad. Tenemos comunión y tenemos creatividad, y estamos juntas como hermanas en el Señor.

Mis actividades favoritas en mi hora femenina son leer en el invierno y trabajar en el jardín en los meses más cálidos. Esto puede sonar extraño, pero especialmente me encanta arrancar malas hierbas. Tal vez es la oportunidad de ver cierto progreso y orden en la tierra aún cuando no ocurre lo mismo en la cocina. También me resulta especialmente relajante leer libros en papel. Estimula mi mente y me calma al mismo tiempo. Navegar por Internet o Facebook en el iPad estimula la mente, pero también la consume más, principalmente porque la mente está constantemente saltando de una cosa a la otra en vez de descansar en un tema o interés durante un rato. En su libro *How Changing Your Rea•ing Habits Can Transform Your Health,* Michael Grothaus explica: «La lectura no solo mejora tus conocimientos, también ayuda a combatir la depresión, te hace más seguro, más empático, y te hace tomar mejores decisiones»[33]. Una joven amiga a quien la lectura le resultaba algo especialmente terapéutico explicó el tipo de libros que le ayudan a relajarse: «Algo que sea de lectura liviana, un poco educativo, pero con un argumento genial y cautivante».

Tal vez hayas notado que los hombres no parecen tener ninguna dificultad para separar tiempo para ellos mismos, ya sea para mirar fútbol, dormir en el sofá, jugar baloncesto, o lo que sea. Eso es porque los hombres piensan en menos cosas por vez y también son mejores para quitar cosas de su mente. Ellos pueden enseñarnos algunas cosas. Una hora femenina no es algo egoísta. Es amarte a ti misma como a tu prójimo. Como lo explica Matthew Henry:

---

33. Michael Grothaus, «How Changing Your Reading Habits Can Transform Your Health», *Fastcompany,* julio 27, 2015, http://www.fastcompany.com/3048913/how-to-be-a-success-at-everything/how-changing-your-reading-habits-can-transform-your-health.

> Hay un amor propio que está corrompido, y es la raíz de los mayores pecados, y debe ser removido y mortificado; pero hay un amor propio que es la regla del mayor deber: debemos preocuparnos adecuadamente por el bienestar de nuestra propia alma y nuestro propio cuerpo. Y debemos amar a nuestro prójimo tan verdaderamente y sinceramente como nos amamos a nosotros mismos[34].

Como observó Bárbara Teckles, dueña de un refugio femenino: «Si las mujeres pueden encontrar un lugar propio para reponerse nuevamente y encontrar algo de paz y quietud, todos resultarán beneficiados»[35].

Renovación semanal

Uno de los déficits más comunes en la vida de las personas con depresión que he aconsejado es la ausencia de un *sabbat* semanal. Por «*sabbat*» me refiero a un día alegre de descanso y restauración centrado en la adoración de Dios, la comunión con personas de la iglesia local y la renovación de las relaciones familiares. Creo firmemente que una de las mayores causas de estrés, ansiedad, agotamiento y depresión en nuestra cultura moderna es no poder recibir el patrón del *sabbat* (seis días de trabajo, un día de descanso) como el regalo de un Dios sabio y compasivo. Como Jesús mismo dijo: «El sábado se hizo para el hombre» (Mc 2:27), y eso incluye también a las mujeres. La obediencia del descanso sabático es algo especialmente importante en la era del Nuevo Testamento, ya que el principio moral del *sabbat* ha sido desvestido de las formalidades de las leyes ceremoniales y civiles de Israel.

---

34. Matthew Henry, *Exposition of the Bible*, Mateo 22:40.
35. «Seen At 11: She Sheds».

Sin embargo, tal como descubrió una estudiante de una universidad cristiana, el descanso sabático no es un concepto conocido ni siquiera en la iglesia cristiana. «Nuestro profesor pidió a los estudiantes esto: "Levante la mano el que está practicando actualmente el descanso sabático". Dos de los veintiocho estudiantes levantaron su mano, y yo era una de ellas. ¡Esto me impresionó! Parece que mi generación no entiende el principio bíblico del descanso sabático». Luego agregó: «El *sabbat* ha sido un gran factor para prevenir un mayor agotamiento en mi vida. No puedo enfatizar suficientemente la manera en que la adoración pública, la adoración privada y el descanso físico semanal renuevan mi espíritu y me motivan a vivir con un propósito para el reino».

Incluso las fuentes seculares están reconociendo cada vez más la necesidad de un *sabbat* semanal. El artículo en el periódico *The Atlantic* llamado «*The Case for the Sabbath, Even if You're Not Religious*» [En defensa del *sabbat,* aun si no eres religioso], defiende el *sabbat* aun si Dios no estuviera involucrado, porque promueve los beneficios sociales, psicológicos y de productividad de tener un día semanal de descanso»[36]. El *Manifiesto •el Sabbat* fue desarrollado por «artistas, escritores, cineastas, y profesionales de los medios de comunicación quienes, aunque no sean particularmente religiosos, sintieron una necesidad colectiva de luchar contra el estilo de vida cada vez más acelerado». Ellos abogan por «un día semanal para desenchufarse, desconectarse, relajarse, reflexionar, estar al aire libre, y reunirse con seres queridos»[37].

Cuánto más beneficioso es un *sabbat* semanal si ponemos a su Creador en el centro. Es un regalo, no una amenaza. Es un tiempo para sanar el cuerpo, la mente, el alma y nuestras relaciones con Dios

---

36. Menachem Kaiser, «The Case for the Sabbath, Even if You're Not Religious», *The Atlantic,* marzo 30, 2010, https://www.theatlantic.com/entertainment/archive/2010/03 /the-case-for-the-sabbath-even-if-youre-not-religious/38187/.
37. http://sabbathmanifesto.org/.

y los demás. Es la manera en que Dios nos provee una perspectiva espiritual y eterna de nuestra vida. Es el regalo de Dios de tener margen en nuestra vida, y así no necesitamos sentirnos culpables de recibir en su totalidad ese único día entre siete. Así como nuestros músculos necesitan un descanso después de ejercitar, también nuestra vida se vuelve más productiva si tomamos el descanso provisto por Dios.

No voy a recetar detalles de cómo este principio del *sabbat* debería funcionar en tu propia vida (nuestras circunstancias son todas muy diferentes), pero permíteme simplemente compartir contigo lo que David y yo hacemos, para ayudarte a pensar qué sería lo mejor para ti. Nosotros intentamos evitar acostarnos demasiado tarde los sábados por la noche para poder estar con fuerzas el domingo por la mañana. Cuando nos levantamos el domingo, cada uno tiene su propia lectura devocional y tiempo de oración, seguido de un desayuno bastante relajado y un tiempo de adoración familiar.

Vamos a la iglesia al servicio de las 9:30 (a menudo añoro el comienzo del servicio a las 11 que teníamos en Escocia que me permitía quedarme más tiempo en la cama), y nos quedamos allí hasta el mediodía, cuando terminan todas las clases de la escuela dominical. No salimos corriendo de la iglesia, sino que nos tomamos bastante tiempo para disfrutar la conversación con nuestros hermanos y nuestras hermanas en el Señor y para animar a nuestros hijos en sus amistades de la iglesia.

Cuando llegamos a casa, tomamos café con algunas galletas, y los siete nos sentamos para conversar acerca de la iglesia, el sermón, lo que hemos estado leyendo en la Biblia, y la vida en general. La familia me ayuda a preparar juntos el almuerzo, y luego David comparte con los hijos videos cristianos que ha recopilado durante la semana. Pueden ser testimonios, noticias que tienen una perspectiva cristiana, canciones cristianas; realmente, cualquier cosa que David piense que podría ser espiritualmente beneficioso o ayudar a la reflexión.

Luego tenemos un almuerzo tranquilo con todos nuestros hijos, después del cual dedicamos un par de horas de quietud para una siesta, algo de lectura, una caminata corta o tirarnos al sol. Tal vez nuestro hijo Allan toca su guitarra y nos dirige cantando alabanzas. Luego vamos a la iglesia para el servicio de la tarde. Después de tener más comunión, regresamos a casa con nuestros hijos más pequeños para comer tocino y huevos, y nuestros hijos mayores asisten a su grupo de jóvenes. Luego nos vamos a dormir temprano para prepararnos para la semana entrante, y eso es todo.

Hacemos todo de manera lenta, tranquila y silenciosa. En mi caso, esto ha sido un salvavidas. Para las familias en el ministerio, el domingo es generalmente uno de los días más ocupados, y por tanto podría ser mejor elegir un día semanal común para honrar el principio del *sabbat* de tener un día de descanso.

Renovación anual

La última parada para renovación son las vacaciones anuales. ¿Suena extraño que las palabras vacaciones y renovación se encuentren en la misma oración? Para muchas de nosotras, parece una contradicción. Nos sentimos culpables de dejar de hacer nuestro trabajo por algunos días. Parece más fácil no irse de vacaciones por causa de toda la preparación y todo lo que se junta para hacer al regresar. Quienes tenemos familias tal vez recordamos vacaciones anteriores en las que los chicos se enfermaron o tuvieron accidentes. Pero a pesar de esas dificultades, no me perdería mis vacaciones anuales, porque es otro elemento clave de renovación para mí y, ciertamente, para toda mi familia.

A lo largo de los años, sí, hemos terminado en la urgencia del hospital con niños heridos. Hemos tomado el camino equivocado y terminamos perdidos. He olvidado la insulina de mi hija en el refrigerador y tuvimos que hacer varias llamadas telefónicas para asegurarnos de que haya cantidad suficiente en alguna farmacia a cientos de kilómetros de casa. Nos hemos empapado, y casi salimos flotando en una carpa. Hemos quedado varados en un barco en el Mar Mediterráneo con truenos y rayos centelleando y tronando en un estruendo ensordecedor; pero tenemos mucho para hablar y reír, y para agradecer a Dios, especialmente cuando recordamos mirando fotos y vídeos.

Antes de casarse, una amiga que es maestra solía irse de vacaciones con algunas colegas. Era un buen tiempo para quitarnos juntas el estrés del trabajo en la escuela. Algunas personas solteras que conozco disfrutan ir a un campamento familiar y renovarse mediante la interacción con un amplio rango de edades. Y aun a otras mujeres en mi círculo les encantan los viajes misioneros cortos o las vacaciones grupales a sitios cristianos históricos.

A lo largo de los años, he descubierto cuatro claves para unas vacaciones renovadoras. Lo primero es tener la mínima distancia de viaje hasta nuestro destino y durante las vacaciones. Eso puede significar tomar vacaciones cerca de casa o viajar en avión para reducir el tiempo de viaje. También significa quedarse en el mismo lugar sin correr de acá para allá, y hacia todos lados. Recuerda, se trata de renovarse, no de alcanzar más metas. Relájate, tranquilízate, disfruta de socializar, y quita tu pie del acelerador.

Segundo, aprende a estar quieta. En mis primeros días de matrimonio, y antes que llegaran los hijos, apenas podía sentarme quieta en las vacaciones durante dos minutos. Estaba tan acostumbrada a vivir pendiente de los mensajes del hospital que era difícil relajarme y tomar sol, incluso con un libro. Por otro lado, David amaba sentarse durante horas con un libro o con el periódico.

Nuestro acuerdo era descansar en la mañana con un libro al lado de la piscina, un lago o una playa, y luego hacer algo activo en la tarde, como una caminata. Veinticinco años más tarde, mis hijos quieren ponerse en marcha, mantenerse en movimiento y tener algo de acción, y yo me he sumado a David en el solárium con un libro durante horas, preguntándonos de dónde obtienen los niños toda su energía. Pero todavía seguimos en líneas generales el mismo patrón. Nos relajamos durante la mañana y usamos las tardes para hacer excursiones turísticas y otras actividades.

Tercero, organiza turnos para la cocina. Si están acampando o durmiendo en un apartamento, planifica tus vacaciones de manera que tus amigos, tu esposo o tus hijos se encarguen algunos días de la cocina y las tareas de limpieza. Tal vez puedan salir a comer cada tres o cuatro días. La meta es que evites ser la cocinera y la sirvienta multifunción simplemente en un lugar diferente.

Cuarto, toma el tiempo suficiente. En nuestro caso hemos descubierto que una semana resulta demasiado corta para realmente desenchufarse y beneficiarse. Pero si pasan más de dos semanas, David y yo nos morimos de ganas de volver a trabajar. Así que algo entre diez y catorce días parece ser lo ideal. Sin embargo, no descartes algunas escapadas. Una joven en mi iglesia me dijo cuánto se beneficiaba de un viaje en la ruta con su hermana. «El año pasado, mi hermana y yo viajamos al centro comercial en Michigan City, Indiana, y también fuimos a la playa por unas horas. Realmente me encantó esa pequeña escapada , y creo que a ella también».

Las vacaciones producen recuerdos, recuerdos que no puedes producir en casa. Las vacaciones unen a los amigos y las familias de una manera única. Las vacaciones te llevan a iglesias que ni sabías que existían y a cristianos que nunca antes habías conocido. Las vacaciones hacen que ores por estos otros cristianos. Las vacaciones te muestran más del mundo de Dios y el poder del evangelio en la vida de otras personas. Las vacaciones enriquecen tu vida espiritual. Las vacaciones hacen que se rían juntos. Las vacaciones hacen que tengan recuerdos juntos. Las vacaciones te muestran la protección de Dios en rutas extrañas y en lugares extraños. Escuché de una pareja cristiana que un año decidieron tener vacaciones en su casa, sin hacer absolutamente nada durante una semana entera. Les resultó una experiencia totalmente deprimente. ¡Así que sal de ahí!

Renovación estacional

Además de las renovaciones diarias, semanales y anuales, también reconocemos etapas más espaciadas de la vida que requieren que adaptemos nuestro ritmo. Como dijo Salomón: «Todo tiene su momento oportuno; hay un tiempo para todo lo que se hace bajo el cielo» (Ec 3:1). ¡Él identificó veintiocho momentos (vv. 2-8)! La mayoría de nosotras tendrá menos, pero identificar la etapa de vida en la que estamos (casamiento, crianza de hijos, menopausia, jubilación, duelos, pérdidas, mudanzas, y demás) y hacer las adaptaciones adecuadas nos ayuda a avanzar sabiamente y con seguridad a través de cada etapa con una velocidad al ritmo de la gracia. Cuando mi amiga Sara leyó un primer manuscrito de este libro, me envió esta nota:

> Especialmente como mujer, no puedo olvidar que nuestras hormonas (ciclos, embarazo, lactancia, menopausia) añaden algo que no debemos ignorar. Sólo porque no podamos controlarlo no significa que no debamos tenerlo en cuenta. He tendido a considerar lo que no puedo controlar y simplemente pasarlo por encima como si no importara, ya que de todas formas realmente no puedo hacer nada al respecto. Pero sí importa, y tiene un impacto, y tendré que hacer algunos ajustes a veces, aun si no quiero hacerlo.

Ella considera el «identificar tu etapa» como un medio de aceptar la realidad y trabajar con ella, no en contra de ella, admitiendo: «En el pasado he cometido el error de pensar: "Bueno, así es como es, así que tendré que lidiar con ello", y el error de pensar que eso significa esencialmente que tengo que ignorar las limitaciones de mi nueva etapa y operar al mismo nivel en que lo hacía antes, con miedo de poner excusas».

De correr y correr a gracia y gracia

Una vida al ritmo de la gracia incluye reconocer la gracia de Dios en todas las diferentes paradas de renovación que él ha colocado para nosotros a lo largo del camino de la vida. Al reflexionar acerca de mi propia historia y las historias de varias mujeres que he escuchado a lo largo de los años, una frase aparece una y otra vez: «Simplemente sigo corriendo, y corriendo». Imagina si vieras una corredora de maratón totalmente agotada pero que rechaza todo sorbo de agua que los organizadores han provisto a lo largo del camino. Pensarías que está loca. También vemos la gracia de Dios en estas paradas de renovación que nos conceden tiempo para reflexionar. Dejamos atrás el ritmo frenético de vida durante un tiempo para regular nuestra velocidad, para tomar perspectiva de hacia dónde estamos yendo y por qué. Hacemos una pausa para recordar el rol de Dios en nuestra vida, para adorarlo por su gracia que es más que suficiente, y para mantener nuestro enfoque en el máximo horizonte que es la eternidad. Una de las mejores armas del diablo es el ruido. Así como las personas utilizan el sonido de fondo para bloquear otros ruidos, Satanás utiliza el ruido del estilo de vida para bloquear la voz de Dios. «¡Alto! ¡Reconozcan que yo soy Dios!».

Al disfrutar los beneficios de una vida interna y externa más relajada y al desarrollar en nuestra vida la renovación de la gracia provista por Dios, encontramos tiempo para hacer una pausa, calmarnos, y pensar acerca de quiénes somos y por qué estamos aquí, preguntas que serán respondidas en las próximas dos estaciones.

Estación 6

Repensar

Cada dos segundos, la identidad de alguien es arrebatada fraudulentamente, con 15,4 millones de americanos que cayeron víctimas del robo de identidad en 2016 con una pérdida total anual calculada en 36 mil millones de dólares[38]. No es de sorprender que se haya desarrollado una enorme industria ofreciendo varios planes de protección contra el robo de identidad, con algunos que te ofrecen restaurar tu identidad si te la llegan a robar.

Aunque las estadísticas indican que uno de cada cuatro americanos ha experimentado robo de identidad, la realidad de hecho es mucho peor[39]. A todas nosotras, hasta cierto punto, nos han robado la identidad ladrones mucho más habilidosos y sutiles que los piratas informáticos chinos y los sitios rusos de *phishing*. Estos ladrones incluyen: el orgullo, los comerciales, Hollywood, Pinterest, Facebook, las super-modelos, los blogs de super-mamás, las escuelas públicas, las super-familias que hacen la educación en el hogar, la moda,

38. Brandon Gonzalez, «Identity Theft Targeted in Anti-Fraud Effort», WBFO Morning Ed., abril 26, 2017, http://news.wbfo.org/post/identity-theft-targeted-anti-fraud -effort.
39. LifeLock, https://www.lifelock.com/.

la presión de pares, la desilusión, el fracaso, el diablo, el envejecimiento, el duelo, la enfermedad, la falsa teología, etc. Estos ladrones son más peligrosos porque roban la respuesta a la segunda pregunta más importante en el mundo: «¿Quién soy?» (siendo «¿quién es Dios?» la pregunta más importante). Nuestra respuesta a esa pregunta determina la manera en que nos vemos a nosotras mismas; la manera en que pensamos, hablamos y actuamos; y la naturaleza de nuestra relación con Dios y con los demás. Esa respuesta también determina si vivimos una vida de estrés y ansiedad o una vida al ritmo de la gracia y llena de gracia.

En este capítulo exploraremos y examinaremos identidades falsas y su impacto sobre nosotras y luego recuperaremos y restauraremos nuestra verdadera identidad provista por Dios. Comenzaremos analizando una breve respuesta a la pregunta «¿quién soy?» y luego avanzaremos hacia una respuesta más larga y más detallada.

La respuesta corta

Aunque muy pocas de nosotras vamos por el mundo pensando conscientemente «¿quién soy?», todas estamos respondiendo inconscientemente esa pregunta cada día de nuestra vida. Aunque usualmente sin darnos cuenta, estamos diseñando y construyendo una identidad, una manera en que pensamos acerca de nosotras mismas y también cómo queremos que otros piensen acerca de nosotras. Lo que queremos hacer aquí es identificar esa identidad. Comencemos escribiendo la frase que viene a la mente cuando nos preguntamos: «¿Quién soy?». Para ayudarte a comenzar, he seleccionado algunos ejemplos que demuestran la manera en que nuestro sentido básico de identidad puede tener grandes repercusiones.

Isabel la inmoral

Isabel se convirtió a Cristo cerca de los 30 años de edad luego de dedicar gran parte de su adolescencia y juventud en varias relaciones inmorales; algunas largas, otras breves, pero todas pecaminosas. Ahora que cree en Cristo, no puede eliminar la identidad inmoral que definió su existencia durante tanto tiempo. Se siente sucia y avergonzada cuando está con otras mujeres cristianas que permanecieron puras hasta el matrimonio, y duda si alguna vez podrá casarse porque es «mercancía usada». Escucha sermones acerca del perdón «más blanco que la nieve», pero su mayor esperanza es lograr un gris claro.

Florencia, la fanática de Facebook

Desde que Florencia se unió a Facebook cuando era adolescente, ha experimentado con muchos personajes e identidades para encontrar la más popular o la que obtenga mayor atención. Su valor personal está vinculado con la cantidad de amigos, seguidores y «me gusta» que obtiene en las redes sociales. Quienes mejor la conocen no reconocen a la persona que ven en Facebook, o en el hogar y las comidas que publica en Pinterest.

Vicky la víctima

Vicky fue abusada en su infancia. No habló de eso durante muchos años, reprimiendo en silencio el dolor y el sufrimiento. Cuando finalmente se abrió y buscó consejería bíblica, comenzó a sanar a través del poder de la Palabra y el Espíritu de Dios. Sin embargo, esa sanidad se ha detenido porque otro consejero le recomendó a Vicky que hablara mucho más públicamente y con frecuencia acerca de su abuso. Como era de esperar, las heridas que Dios había estado sanando se abrieron nuevamente. En vez de asumir la identidad de Vicky la victoriosa, triunfando por sobre el sufrimiento por la gracia de Dios, se ha transformado en Vicky la víctima, reviviendo su sufrimiento una y otra vez.

Francisca la fracasada

Francisca hizo todo bien, pero todos sus hijos salieron mal. Aunque ella los crio siguiendo todas las reglas y se dedicó a ser una madre piadosa, sus tres hijos dejaron la iglesia al finalizar su adolescencia y vivieron vidas mundanas. Las esperanzas y ambiciones de Francisca se han frustrado, su propósito de vida quedó hecho pedazos. Más allá de todo lo que haya hecho y lo que hará en su vida, ella se ve a sí misma como un fracaso con F mayúscula.

Fernanda la fuerte

El padre de Fernanda era un hombre determinado, tenaz y exitoso con estándares igualmente altos para sus hijos. De manera inconsciente, aunque comprensible, Fernanda adoptó esta identidad (fuerte, determinada y trabajadora) y la trasladó hacia su vida adulta. Sin embargo, acaba de cumplir cuarenta y cinco años y está luchando por mantener el mismo nivel de energía y rendimiento en el trabajo. Su mente no parece ser tan ágil o eficiente como antes, y está teniendo palpitaciones y dolor de pecho de vez en cuando. Pero como es Fernanda la fuerte, sigue presionando y esforzándose, lo que resulta en una constante fatiga y frustración por sus limitaciones.

Paula la perfeccionista

Paula instruye a sus cinco hijos con el modelo de educación en el hogar. Su familia ideal se parece a las imágenes idílicas que aparecen en el reverso de los libros de educación en casa. Su meta es coser su propia ropa, hornear su propio pan, hacer su propio jabón, envasar su propia fruta, ejercitar diariamente y que todos sus hijos se casen antes de los veintiún años. Excepto que nada de eso está ocurriendo. Está logrando muchas cosas cada día (en la educación en casa, en la cocina, en la iglesia y en su comunidad), pero como no puede hacerlo todo, se siente un fracaso. Una amiga soltera me explicó cuán fatigoso puede ser este perfeccionismo: «No hay nada que me moleste más que saltarme mi tiempo devocional, obtener una nota menor a la que sé que puedo lograr, errar una canasta en la práctica de básquetbol, o incluso entregar un auto a un cliente en el trabajo cuando todavía tiene una pequeña mancha a pesar de mi mejor esfuerzo. Quiero la aprobación de Dios, la aprobación de mi familia, la aprobación de mi iglesia, la aprobación de mi profesor... y el listado podría continuar».

Pilar la pecadora

La iglesia de Pilar se especializa en la ley, el pecado y el juicio, mientras que la justificación, el perdón y la adopción casi no reciben mención. Su pastor es experto en todo lo malo en los cristianos, en la iglesia y en el mundo. Aunque ella piensa que era salva hace algunos años, ahora tiene poca o ninguna seguridad de su fe, pero está totalmente segura de que es una pecadora y que merece la ira de Dios. Sus hijos están desconcertados con su mamá, y les cuesta descifrar por qué ser amada por Dios e ir al cielo es algo tan deprimente.

Simona la simple

He conocido muchas Simonas. Cuando trabajaba como médica, casi todas mis pacientes femeninas que trabajaban exclusivamente en el hogar responderían la pregunta acerca de su vocación con: «Soy una simple ama de casa», o: «Soy una simple secretaria». En la esencia de esta respuesta hay una perspectiva no bíblica de la vocación, la idea equivocada de que solo los llamados ministeriales son llamados divinos, que solamente la obra manifiestamente cristiana es trabajo que vale la pena, o que solo ciertos tipos de trabajo fuera de la casa son reconocidos como una vocación. Simona nunca leyó lo que escribió William Tyndale: «Si nuestro deseo es agradar a Dios, entonces verter agua, lavar los platos, remendar zapatos y predicar la Palabra es todo lo mismo»[40]. Martín Lutero dijo una vez: «Dios y los ángeles sonríen cuando un hombre cambia un pañal». Si Dios se deleita en un hombre cambiando un pañal, ¿cuánto más cuando cambias diez pañales por día?[41].

Consecuencias trascen•entales

Te he dado estos ejemplos no solo para ayudarte a descubrir tu propia identidad básica sino también para mostrarte cuán fácil es que te roben, distorsionen o cambien tu identidad mediante diferentes acontecimientos, decisiones y circunstancias. Esto también demuestra de qué manera nuestra respuesta a la pregunta «¿quién soy?» puede tener consecuencias trascendentales durante muchos años. Obtener la respuesta correcta a esa pregunta, pensar en nosotras mismas como Dios quiere que pensemos, es una de las actividades más importantes en el Gimnasio *Renueva tu vi•a* y es un paso vital hacia una vida al ritmo de la gracia.

La respuesta ampliada

Dada nuestra complejidad, ninguna de nosotras puede ser totalmente definida con una breve frase. Es por eso que ahora necesitamos profundizar un poco más y proveer una respuesta más detallada a la pregunta «¿quién soy?». Entonces, esta vez, en lugar de una breve

40. William Tyndale, citado en Os Guinness, *The Call* (Nashville: Thomas Nelson, 2003), 34.
41. Martín Lutero, citado en Guinness, *The Call*, 34.

frase, escribe todas las palabras que vienen a tu mente al pensar en quién eres. Intenta responder la pregunta desde una perspectiva objetiva de largo plazo, en vez de los sentimientos de corto plazo que pueden cambiar cualquier día, dependiendo de si es un día bueno o un día malo. Un objetivo de este ejercicio es ayudarte a alcanzar y adoptar un sentido estable de identidad que evitará muchas crisis de identidad que surgen de sentimientos y acontecimientos cotidianos.

Para comenzar, aquí están las palabras que vinieron a mi mente cuando respondí la pregunta. No intenté ser teológica o políticamente correcta, y registré las palabras en el orden en que aparecieron: madre, esposa de pastor, cristiana, deportista, feliz, enérgica, sociable, servicial, taxista, autocrítica, organizada, introspectiva, médica, atrasada, estresada, preocupada, fracaso.

Dedica un tiempo a tu listado; las primeras diez palabras aparecerán relativamente rápido, mientras que las demás tomarán más tiempo. Y cuando tengas tu listado, ven conmigo y aprende mientras recupero y reconstruyo mi verdadera identidad siguiendo ocho pasos que transformarán la manera en que pensamos acerca de nosotras mismas.

Reordenar prioridades

El primer problema que encuentro es el orden de mis respuestas. Al igual que muchas mujeres, tiendo a definirme a mí misma mediante mi familia (otras podrían definirse a sí mismas mediante su trabajo). Eso es lo primero que vino a mi mente: mis hijos y mi esposo. Eso es un problema por varias razones, especialmente porque Dios define a las personas primero por su estado espiritual seguido por su naturaleza espiritual. También es un problema porque ¿qué ocurre cuando mis hijos crecen, o toman malas decisiones, o si mi esposo muere? Estas relaciones naturales deben estar en segundo lugar después de nuestra relación espiritual con Dios. Nuestro estado espiritual y nuestra naturaleza espiritual deben aparecer en primer lugar. Eso es lo que vino en primer lugar a la mente del apóstol Pablo cuando pensó acerca de sí mismo: «Por la gracia de Dios soy lo que soy» (1Co 15:10). Cuando analicé esto con mi amiga Sally, ella dijo:

> Durante todos los años de mi infancia e incluso en mi adultez he luchado con el rótulo HP (hija de pastor). Siempre sentí que las personas observaban cómo actuaba moralmente. «Pero no deberías actuar así, Sally; ¡tu padre es un ministro!» era lo que mis otros seis hermanos y yo solíamos escuchar. Luego me casé con mi esposo y, al poco tiempo, recibí el rótulo «esposa del doctor». Yo pensaba que estos dos rótulos venían con ciertas expectativas. Pero cada año he aprendido más y más que estos rótulos son sólo parte de lo que yo, Sally, soy. ¡Lo más importante es que soy hija del Rey! Después de eso tengo muchos otros roles también: esposa, madre, amiga, hermana, vecina y miembro de la iglesia.

Hay más cosas que debemos reordenar en estas categorías (por ejemplo, ser una esposa debería estar antes que ser una madre), pero espero que sea obvio la manera en que las *prioridades* de nuestra identidad impactarán nuestros pensamientos, palabras y acciones (o la falta de ellos).

Ampliar áreas incompletas

A continuación, queremos identificar lugares donde estas descripciones estén incompletas y ampliarlas para que tengan mayor influencia en nuestra vida. El ejemplo más obvio que necesita ampliación en mi identidad es «cristiana». Eso es verdad, pero hay mucho más que podría decirse al respecto. La Biblia utiliza muchas palabras y metáforas diferentes para describir al cristiano: perdonado, redimido, aceptado, justificado, adoptado, heredero, bendito, sentado en lugares celestiales, sellado con el Espíritu, en Cristo y demás (ver Efesios 1). Si amplío mi identidad de «cristiana» añadiendo a mi listado estas descripciones provistas por gracia, esta parte de mi identidad tendrá mucha más influencia en mi imagen propia. Una identidad llena de gracia producirá una vida al ritmo de la gracia.

Completar lagunas

Cuanto más he reflexionado acerca de mi respuesta ampliada, más he reconocido que hay algunas lagunas importantes, partes de mi identidad que no incluí, tal vez porque no quería admitirlas porque abarcan algunos de los pecados que me acosan. Pero para ser más precisa, tengo que incluir estas debilidades importantes. Por ejemplo, a menudo tengo actitud defensiva, soy ansiosa, y propensa a deprimirme. A menos que reconozca estas debilidades como parte de mi identidad, no asumiré los pasos necesarios para lidiar con ellas.

Por otro lado, también pasé por alto algunas de mis fortalezas. Probablemente eso sea porque, en mi cultura escocesa, no se recomienda hablar acerca de uno mismo de manera positiva. Pero si Dios nos ha concedido una fortaleza o una habilidad, eso es parte de nuestra identidad dada por Dios; debemos reconocerlo, agradecer a Dios por eso (aunque probablemente no en Facebook) y ver este aspecto de nuestra identidad como parte de la manera en que Dios nos guía al llamado que tiene para nosotros. Dios me ha hecho compasiva, paciente y trabajadora, y disfruto servir y ayudar a las personas. No es de sorprender entonces que Dios me haya guiado a la profesión médica y me haya hecho esposa de pastor. Nuevamente, el apóstol Pablo es nuestro modelo de equilibrio aquí. Reconoció la debilidad de su testimonio del pasado (1Co 15:9), pero también afirmó ser el apóstol que más trabajaba, por la gracia de Dios desde luego (1Co 15:10).

Procesar falsedades

Aunque hubo tiempos cuando el apóstol Pablo no respondió a los ataques difamatorios sobre su carácter y su identidad que circulaban entre sus enemigos, hubo otros tiempos cuando emprendió una guerra contra ellos. A lo largo de 2 Corintios procesó las falsedades que estaban amenazando con desvirtuar su ministerio. Pablo expuso las mentiras, les puso nombre, presentó evidencias en su contra, demostró su falsedad, las sentenció al exilio, y las expulsó de la iglesia. Al hacerlo, ofreció un modelo para que nosotros imitemos al lidiar con las falsas acusaciones, especialmente aquellas que surgen desde adentro. Aquí hay dos ejemplos de la manera en que yo proceso falsedades con respecto a mi identidad propia y las reemplazo con la verdad.

Soy la sierva de todos. Notemos que, en mi respuesta ampliada, puse *servicial* como parte de mi identidad. La verdad es que, aunque me encanta servir a las personas, ser *servicial* a menudo se transforma en «soy la sierva de todos». Siento que debo decir que sí a todos y a todo (nota que la siguiente palabra en el listado es *taxista*). Me coloco en segundo lugar la mayor parte del tiempo y paso mi vida corriendo de un lado para el otro intentando hacer todo y agradar a todos, lo cual, por supuesto, no sólo es imposible sino también sumamente perjudicial. Dios me ha llamado a servir a una cantidad limitada de personas (principalmente a mi familia) en una cantidad limitada de formas, y tengo que aceptar que no puedo hacer todo lo que pienso que todos quieren que haga. También debo ser capaz de reconocer mis limitaciones y mi necesidad de que otros también ayuden en mis necesidades. «Soy la sierva de todos» es una declaración que necesitamos procesar, probar su falsedad, eliminar y reemplazar con: «Soy una sierva con limitaciones».

Tengo todo el control. Añadí *organizada* en mi listado porque me encanta ser organizada y tener cada cosa en su lugar. Pero a veces mi don de organización puede deslizarse hacia «tengo todo el control», una habilidad que sólo Dios posee. No solo quiero cada hoja de papel, cada botella, cada plato, cada libro, cada camisa y cada juguete en su lugar correcto, sino que también quiero mi agenda y mi familia arreglada y prolija de manera similar. Sí, yo simplemente engendré mi propia máquina interna de estrés que puede funcionar 24 horas por día. Sin rendirme a la responsabilidad personal y la disciplina familiar, necesito reconocer que el control total es un mito, una falsedad, que nunca puede darse ni por un segundo en mi vida. El hecho de liberar el control personal y entregar el control total y absoluto a Dios desmantela la máquina de estrés y me permite vivir una vida más calmada, al ritmo de la gracia, haciendo lo que puedo, pero confiando en que Dios haga lo que yo no puedo.

Un ejemplo es mi lucha por entregar a mis hijos al cuidado de Dios. Aunque mi hijo de veintiún años tiene buenos amigos que aman pasar tiempo juntos en los diferentes hogares, solía quedarme despierta hasta que regresara, pensando que irme a dormir sería algo irresponsable. Mientras tanto, David roncaba felizmente. Hace un año, mi hijo se unió al Cuerpo de Marines de los Estados Unidos y terminó del otro lado del país con muchachos a los cuales no conocíamos para nada. No tenía absolutamente ningún control, y sin embargo dormía profundamente cada noche después de encomendarlo al Señor en oración. Lo entregué al cuidado de Dios, pero podría haber decidido hacerlo cuando vivía con nosotros en Grand Rapids en vez de verme forzada a hacerlo cuando se mudó. Esta ha sido una buena lección para entregar el control al Controlador.

Añadir equilibrio

Parte de mi identidad es: «Soy pecadora». No puedo ni quiero negarlo. Pero no es toda la verdad. El apóstol Pablo también me instruye a pensar acerca de mí misma como «muerta al pecado» (Ro 6:11). ¿Por qué es importante esta afirmación que añade equilibrio? El apóstol entendía que, si sólo pienso en mí misma como una pecadora, entonces pecaré. Sin embargo, si también me veo a mí misma como muerta al pecado, más muerta al pecado estaré. Si cuando llega la tentación y me llama, todo lo que digo es: «Soy una pecadora», entonces probablemente sucumbiré. Pero si digo: «No, estoy muerta al pecado y viva para Cristo», es más probable que muera al pecado y viva para Cristo.

Una cristiana que conozco una vez perdió los estribos con su esposo mientras yo estaba sentada con ellos. Finalmente surgió cierta incomodidad, y ella se volvió a mí y me dijo: «Tengo mal genio, pero así también era mi madre». ¿Qué esperanza tenía ella de vencer este pecado si simplemente seguía poniendo excusas (como lo hacía con frecuencia)? En lugar de decirse a sí misma que era una pecadora, y en consecuencia, por supuesto, sucumbir al pecado, ella debería haberse reconocido como muerta al pecado, muerta a la ira, cada vez que la tentación aparecía. Imagina cuántas más victorias tendríamos sobre el pecado si nos identificáramos no solo como pecadoras sino como muertas al pecado.

Aceptar los cambios

Notarás que agregué *médica* muy abajo en el listado. Cuando trabajaba a tiempo completo, *médica* habría sido mucho más prominente en mi sentido de identidad. Descendió un poco en el listado cuando llegaron los hijos y reduje mi consultorio a una mañana por semana y algunas tardes por mes. No he practicado la medicina desde que vine a los Estados Unidos hace algunos años, por lo cual ahora está hacia el final del listado. Sigue siendo parte de mi identidad, ya que fue una parte muy grande de mi vida (y porque todavía me piden consejos médicos con cierta frecuencia), pero me he adaptado y he aceptado el cambio.

Podemos causarnos enormes problemas si no aceptamos cambios en nuestra edad, nuestras aptitudes, nuestro estatus, nuestras relaciones. En mi adolescencia, hubiera puesto *eportista* en el segundo o tercer lugar de mi respuesta ampliada, ya que me encantaba correr, competir en carreras, y jugar al fútbol. Si continúo colocándolo como una parte principal de mi identidad, estaría mintiendo o muriendo.

Algunas mujeres que conozco luchan con la idea de aceptar los cambios en su identidad cuando dejan de trabajar en una carrera profesional y se dedican a ser madres de tiempo completo. Estaban acostumbradas a que todo estuviera organizado en intervalos de tiempo claramente demarcados, con su espacio de trabajo prolijo, sus ropas siempre radiantes, y salir del trabajo siempre a la misma hora para ir a relajarse a casa. De repente, se encuentran en una situación donde las demandas son incesantes, las interrupciones sin impredecibles, y casi nunca hay un horario de salida. Incluso es difícil vestirse profesionalmente como solían hacerlo. Pero cuando Dios concede la gracia para aceptar y adaptarse a ese cambio de identidad, las madres pueden dejar de mirar hacia atrás con resentimiento, dejar de mirar a otras mujeres con envidia, y rendirse a la idea de parecer una ejecutiva con tres hijos colgando de sus trajes.

Reformular fracasos

He conocido el fracaso en mi vida y probablemente habría incluido *fracaso* en primer lugar en el listado cuando finalmente acepté que no era capaz de enseñar a mi hijo mayor con el modelo de educación en el hogar más allá de noveno grado, momento en el que decidimos enviarlo a la escuela. Sin embargo, ahora incluí *fracaso* como lo último en mi listado porque, aunque he atravesado ciertos fracasos desde ese momento, ya no permito que el fracaso me defina. Ciertamente, lo veo con una perspectiva diferente porque Dios me ha enseñado muchas cosas buenas a través del fracaso: humildad, dependencia, paciencia y compasión por los fracasos de los demás. Todas las cosas obran para bien, incluyendo los fracasos (Ro 8:28).

Es como si la providencia superior de Dios pusiera un marco de oro alrededor de nuestros fracasos, transformándolos en algo útil y productivo. Sobre todo, mis fracasos me traen a los pies del perfecto Señor Jesús en adoración. Cuando hago un recuento de todos mis fracasos en una semana y luego pienso que él vivió durante treinta y tres años en medio de semejantes dificultades y provocaciones, y nunca pecó, no puedo más que alabarlo y adorarlo. Él triunfó donde yo fallé y me imputó su triunfo a mí, de manera que ya no veo toda mi identidad a través de los lentes de mis fracasos. He fracasado, pero el fracaso no me define. Todavía fallo, pero él sigue amándome y aceptándome. Una de las amigas de mi hija que ha luchado contra el perfeccionismo durante varios años en muchos frentes, descubrió que su victoria contra este enemigo se forjó en un tiempo cuando «Dios continuaba revelando más de mi pecado y más de sí mismo, lo cual me dio una perspectiva más clara y más bíblica de mi verdadera identidad».

Anticipar el futuro

Es triste ver celebridades (y a otras personas que no son celebridades) intentando en vano aferrarse a su aspecto y sus vidas anteriores. La hermosa actriz pasa más tiempo en el cirujano plástico que frente a las cámaras. La gimnasta con medallas de oro pasa más tiempo en la camilla con algún tratamiento que sobre las vigas. En su momento tuvieron identidades que les compraron fama y una fortuna, pero al decaer estas identidades, también decaen su popularidad y sus cuentas bancarias. Sus mejores días quedaron atrás, a veces muy atrás, pero no logran aceptarlo y, tal como lo muestran varios programas de *reality show*, harán cualquier cosa por recuperarlos. Sin embargo, para los cristianos, nuestros mejores días están por venir. Sí, intentamos recuperar y reconstruir nuestra identidad en este mundo, pero esperamos un día cuando disfrutaremos una identidad mucho mejor en el mundo venidero.

El apóstol Juan cristalizó esto para nosotros en estas palabras: «¡Fíjense qué gran amor nos ha dado el Padre, que se nos llame hijos de Dios!... Queridos hermanos, ahora somos hijos de Dios» (1Jn 3:1-2). ¡Qué gloriosa identidad presente: hijos de Dios! Pero hay algo mejor aún en el futuro: «Todavía no se ha manifestado lo que habremos de ser. Sabemos, sin embargo, que cuando Cristo venga seremos semejantes a él, porque lo veremos tal como él es» (v. 2). ¡Un día seremos como Cristo! Imagina eso como parte de tu identidad: ser como Cristo. No existe nada mejor. Qué gran porvenir para reflexionar.

Así que, sí, intentemos recuperar nuestra identidad robada reconstruyéndola sobre un fundamento bíblico: reordenando prioridades, ampliando áreas incompletas, completando lagunas, procesando falsedades, añadiendo equilibrio, reformulando fracasos y aceptando cambios. De esa manera, no sólo mejoramos nuestros pensamientos, sino también nuestros sentimientos, nuestras palabras y nuestras acciones. Pero también anticipamos la expectativa indescriptible de ser como Jesús. Si agregamos a nuestra identidad la frase «¡voy a ser como Jesús!», eso tendrá un tremendo impacto sobre nosotros porque «todo el que tiene esta esperanza en

Cristo se purifica a sí mismo, así como él es puro» (v. 3).

Uno de los grandes beneficios de tener un claro sentido de identidad es que así podemos identificar más fácilmente y clarificar los propósitos de nuestra vida y hacer planes para lograrlos, lo cual constituye el ejercicio que nos espera en la próxima estación.

Estación 7

Reducir

La Sra. Saturada está en el gimnasio, pero está cargando tantas pesas que algunas de ellas están cayendo sobre sus pies y sobre el piso. Tu pensamiento inmediato es: *¿cómo irá a usar to•o eso al mismo tiempo? ¿No sabe que hay soportes para to•as esas pesas y que solo se te permite enfocarte en un ejercicio a la vez?* Cuando la miras más de cerca, observas su ceño fruncido y la escuchas suspirar. Te compadeces de ella y simplemente quieres abrazarla y decirle: «¡Oye, esto no es divertido! ¿Puedo ayudarte, y juntas descubrimos un sistema mejor? Dejemos algunas de esas pesas. Así puedes disfrutar tu ejercicio en lugar de que sea un terrible fastidio».

En el piso superior en la zona de niños, una pequeña niña corre por el pasillo y entra a la sala, entusiasmada para jugar con algunos amiguitos. Sin estructura, sin plan; simplemente reírse, jugar e imaginar, luego más risa, más juego y más imaginación. Le encanta y siempre sale de allí con una sonrisa de oreja a oreja. En casa, corre al patio y disfruta la libertad de seguir jugando. ¿Recuerdas cuando la vida era así? Sin preocupaciones, sin ceños fruncidos; simplemente comer, dormir y jugar. ¡Ni una preocupación en el mundo!

También recuerdo esos días, y a veces desearía poder volver atrás, aunque sea por un breve instante. Yo he sido la Sra. Saturada con demasiada frecuencia y pocas veces he sido la Srta. Zona de Niños. En tiempos de estrés y ansiedad extrema, he observado las aves y he envidiado su existencia despreocupada, revoloteando sin preocupaciones de un árbol a otro. Pero como Jesús nos recordó, Dios cuida a sus hijos más personalmente que a los pequeños gorriones (Mt 6:25-34) y quiere librarnos de cargar pesas innecesarias (1P 5:7). Quiero ayudarte a recibir la libertad que nuestro Padre celestial ofrece para vivir al ritmo de la gracia y llevar una vida cargada de gracia reduciendo los pesos que estás arrastrando.

Cargas de la vida

La vida se nos trepa, ¿verdad? En la escuela, solo tenemos un poco de estrés temporal (exámenes y novios), pero esto es como unas pocas plumas comparado con las cargas aplastantes y complejas que se acumulan en los siguientes veinte años. Al llegar a los cuarenta, cargamos con la hipoteca y la deuda en la tarjeta de crédito, problemas del trabajo, preocupaciones por el esposo y los hijos, temas de salud, conflictos en la iglesia, reparaciones en el auto y cuotas del seguro de salud, etcétera.

Todo eso no sucedió el día después de tu graduación. Se fue acumulando imperceptiblemente, multiplicándose un poco cada año hasta que, lenta pero inexorablemente, la vida nos asfixió. Ahora nuestra mente está extenuada, nuestro corazón siente palpitaciones, nuestro cuerpo está colapsando, nuestras relaciones están más tensas, nuestro descanso está disminuyendo, la calidad de nuestro trabajo está sufriendo, y nuestra felicidad es un recuerdo distante. ¿Qué le ocurrió a la Srta. Zona de Niños? ¿Hay forma de volver atrás? ¿Al menos a veces? Comencemos a responder estas preguntas considerando dos maneras diferentes de vivir. Esto nos dará un fundamento para clarificar nuestro propósito en la vida, planificar nuestros días, y descartar lo que no es esencial, reduciendo así algo de aquello que ha trepado sobre nuestra vida y nos está venciendo.

Dos maneras de vivir

Según el columnista del *New York Times* David Brooks, hay dos maneras de ver la vida: «La vida bien planificada» y «la vida convocada»[42]. En una columna acerca de este tema, se refirió a un ensayo derivado de un discurso de graduación del Profesor Clayton Christensen, de la Escuela de negocios de la Universidad de Harvard, como modelo de la vida bien planificada. La vida bien planificada es aquella en la cual dedicamos tiempo para encontrar un claro propósito, luego tomamos las decisiones adecuadas acerca de cómo usar nuestro tiempo y nuestros talentos en vista de ese propósito. Por otro lado, la persona viviendo la vida convocada rechaza la posibilidad de una planificación de la vida a largo plazo. Más bien, al surgir situaciones y circunstancias, se pregunta: «¿Qué tengo que hacer frente a estas circunstancias? ¿Cómo debo reaccionar?». Estoy segura de que muchas de nosotras podemos reconocernos en una de estas posturas, o tal vez en ambas, dependiendo del día.

Entonces, ¿cuál es la mejor manera de vivir? Sobre el fundamento de la verdad de que estamos hechas a imagen de Dios y, por tanto, llamadas a reflejar, en alguna medida, su soberanía con propósito, creo que toda cristiana debe edificar su vida sobre la base firme de una vida bien planificada. Ninguna cristiana debería ser simplemente una víctima de los acontecimientos, un corcho indefenso sacudido de un

42. David Brooks, «The Summoned Self», *New York Times*, agosto 2, 2010, http:// www.nytimes.com/2010/08/03/opinion/03brooks.html.

lado a otro sobre el siempre cambiante océano de las circunstancias y las expectativas de los demás. Dios nos puso aquí a cada una de nosotras por una razón específica, y no debemos simplemente navegar a la deriva día tras día, semana tras semana, y año tras año, desperdiciando nuestra vida sin ningún sentido de dirección, o saltando cada vez que alguien coloca un aro frente a nosotros. Debemos llevar nuestro tiempo y nuestros talentos a Dios, y preguntarle: «¿Qué quieres que haga?». Esa sencilla oración habría salvado a muchas de nosotras de muchos años rebotando sin sentido de una actividad a otra, de una exigencia a otra, y de una expectativa a otra.

Sin embargo, existe un peligro en la vida bien planificada. Puede hacernos insensibles e indiferentes a las necesidades de los demás. Todas debemos aceptar una parte de la vida convocada. ¿Pero qué porcentaje de nuestra vida le damos a cada modelo? Cristo es un buen ejemplo para nosotras en este tema. Aunque él sabía exactamente por qué estaba en la tierra y qué tenía que hacer, también permitió cierta espontaneidad para responder a acontecimientos inesperados. Hubo momentos en que no permitió que las exigencias de las personas lo desviaran, pero en otros momentos se detuvo y respondió a una necesidad apremiante. Jesucristo vivía una vida bien planificada pero también dejó espacio para la vida convocada. Logró el equilibrio perfecto en todo momento.

Entonces, ¿cómo encontramos el punto perfecto? Aunque cada una de nosotras encontrará una combinación diferente dependiendo de nuestra personalidad y nuestro llamado, hay tres palabras que creo que nos pueden ayudar a todas a encontrar el equilibrio correcto, tres palabras que nos permitirán reducir las cargas que a menudo abruman nuestra vida: *propósito, plan y po• a.*

Propósito

Si no apuntamos a nada, siempre daremos en el blanco. Pero si queremos lograr algo que valga la pena, necesitamos objetivos específicos. Quiero desarrollar cinco áreas particulares de la vida en las cuales un sentido claro de propósito producirá grandes beneficios. Estas son nuestra vida espiritual, nuestra vida familiar, nuestra vida vocacional, nuestra vida eclesial y nuestra vida social.

Vida espiritual

¿Cuál es tu propósito espiritual? ¿Sabes qué quieres alcanzar en tu vida espiritual? ¿Hay virtudes que quieres cultivar o pecados que quieres vencer? ¿Quieres crecer en el conocimiento de la doctrina cristiana, o quieres avanzar en tu santificación? ¿Hay alguna virtud o don cristiano que quieres desarrollar? Tal vez, como muchos cristianos, nunca has pensado en estas preguntas. Simplemente has navegado a la deriva esperando lo mejor, pero nunca clarificaste realmente en tu propia mente hacia dónde te diriges o cómo será cuando alcances la meta. Tal vez hayas logrado cierto progreso en algunas áreas, pero no lo has notado y, por tanto, no recibes aliento por la obra de Dios en tu vida.

Es por eso que recomiendo orar y reflexionar acerca de áreas específicas en las cuales quieres crecer. Podrías elegir una doctrina para aprender, como la justificación, y encontrar buenos libros y sermones que te enseñen y te desafíen. O enfocarte en una gracia como el gozo, y encontrar maneras de cultivarlo y exhibirlo. Tal vez podrías decirle a una amiga o un familiar lo que estás haciendo y pedirles que te desafíen y te den aliento cuando sea necesario. También podrías enfocarte en un pecado como la codicia y encontrar diferentes recursos para enfrentarla. Podrías querer practicar el don de la hospitalidad e intentar recibir un grupo pequeño de personas cada mes, cultivando la comunión cristiana con una comida. Hay muchas posibilidades, pero si no escogemos uno o dos objetivos espirituales, podemos quedarnos dando vuelta en círculos o lograr un progreso milimétrico en mil direcciones diferentes.

Vida familiar

Para quienes somos madres, nuestro mayor objetivo familiar es la salvación de nuestros hijos. Debemos criarlos para el Señor (Ef 6:4). No queremos simplemente unos pocos años aquí en la tierra con ellos; queremos pasar la eternidad en el cielo con ellos. Tener ese propósito en primer plano en nuestra mente nos ayudará a reducir la carga de las expectativas seculares y culturales, las cuales a menudo controlan nuestra vida y la de ellos. Se espera que se distingan en la escuela, sean músicos expertos, obtengan premios en los deportes, y reciban una beca para la universidad. Deben conseguir un trabajo que les pague bien y definitivamente casarse con alguien con un título universitario y un buen trabajo. ¿El resultado? Todos terminamos estresados (y cuentas bancarias en rojo), luchando y sudando para asegurarnos de que alcancen estas metas. ¿Pero cuál es el punto de todo esto si, en el camino, perdemos de vista el alma de nuestros hijos y la razón por la cual estamos en esta tierra?

Nuestros hijos necesitan nuestro amor, necesitan estabilidad familiar, necesitan la mesa familiar a la hora de la cena, necesitan los domingos para el descanso mental, espiritual y corporal, al igual que nosotras. Cuanto más esperamos de nuestros hijos, más esperamos de nosotras mismas, y viceversa. Nosotras necesitamos equilibrio; ellos necesitan equilibrio. Sí, deben desarrollar los talentos que Dios les concedió, pero ¿Dios exige que corramos de la práctica de un hijo a la práctica de otro hijo, a partidos y encuentros, y nos saltemos comidas familiares y devociones familiares la mayoría de las noches de la semana? Si lo hacemos, hemos elegido la carga imposible de las expectativas culturales y seculares, y hemos abandonado la carga más importante de todas: la crianza espiritual, emocional y relacional de nuestros hijos, lo cual sólo puede lograrse cuando tenemos tiempo para estar juntos y hablar unos con otros sin la presión del tiempo.

Una de las mayores cargas sobre madres jóvenes es el peso agobiante de los dogmas modernos de crianza. Nunca ha habido tanta información disponible acerca de cómo criar hijos, y, sin embargo, nunca ha habido tanta confusión. El tema comienza antes de que nazcan nuestros hijos. Estamos abrumadas con la cantidad de teorías acerca del embarazo, teorías de partos, teorías alimentarias, teorías acerca de las vacunas, etcétera. El equilibrio se desvía hacia los extremos, y para muchas madres, lo que debería haber sido el tiempo más alegre de sus vidas se vuelve la experiencia más desdichada y cargada de culpa. Lo que a menudo se pierde en el contexto es la simple pregunta: «¿Cómo puedo, con mi máximo empeño, usar todo lo moderno que Dios provee para darnos a mi bebé y a mí misma la mejor esperanza de sobrevivir y florecer?». Esa pregunta nos ayuda a clarificar nuestro propósito y descargar el peso de la ideología de otras personas.

Mamás, necesitamos relajarnos, reducir nuestras expectativas sobre nosotras mismas y nuestros hijos. No seas esclava de la ideología. Por favor habla con madres más experimentadas, preferentemente aquellas que han pasado por esto varias veces. En oración utiliza tu sentido común y recibe algo del sentido común de ellas. Tú y tu familia obtendrán un sentido más claro de propósito espiritual, aprenderás a vivir al ritmo de la gracia, y todos ustedes tendrán la esperanza de una eternidad juntos llena de gracia.

Vida vocacional

Soy madre de cinco hijos: tres varones de veintiuno, dieciocho y cuatro años; y dos mujeres, de catorce y trece años. También soy esposa de pastor y maestra de mis hijos. Tengo un título de medicina y trabajé en ese campo durante varios años. ¿En cuál de estos ámbitos quiere Dios que yo funcione en este momento? Claramente no en todos ellos. Permíteme compartirte cómo he reflexionado acerca de mis decisiones para ayudarte a hacer lo mismo, cualquiera que sea tu llamado actual: ama de casa, empleada o estudiante.

Ama de casa. Basándome en las Escrituras (Tito 2:5), creo que mis circunstancias presentes requieren que priorice las tareas del hogar en esta etapa de mi vida. Eso significa que soy quien organiza y delega, gerente de operaciones, administradora en jefe, gerente de suministros, chef principal, supervisora de limpieza, taxista, consejera, hombro donde llorar, y abrazadora principal. Si eres ama de casa, estoy segura de que puedes añadir algo más a tu listado de tareas del hogar, pero esto es un comienzo.

¿Pero dónde comienzo y cuál es mi meta? Era fácil en el pasado. Antes que llegaran los hijos, intentaba tener pisos y armarios perfectos, cojines ordenados, el canasto de ropa sucia vacío, baños prolijos, y comidas relajadas. Cinco hijos más tarde, mi vida diaria implica zapatos perdidos, toallas faltantes, montañas de ropa sucia, pisos pegajosos, y el auto que parece más una playa de arena, una tienda de golosinas, y el lugar de objetos perdidos del gimnasio, todo en uno. Puedo fácilmente desalentarme por mi incapacidad de alcanzar la perfección del pasado. Una amiga compartió así su experiencia de culpa y expectativas irrealistas:

> Es como ponerse un objetivo y luego anotar puntos en otro objetivo. Dije sí a hacer una buena cena para la familia, así que eso implica que dije no a jugar a los disfraces con mi hija. A veces al final del día pienso que debería haber podido hacer ambas cosas. O dije sí a aceptar otro cliente, así que

> eso implica que dije no a lavar la vajilla durante la siesta. A veces eso significa que, aunque he realizado muchas cosas, de todos modos me enojo porque no he logrado fregar los pisos o hacer otras cosas también.

Aquí está la pregunta acerca del propósito vocacional que me ha ayudado a reducir esta carga abrumadora: «¿Mi meta es una casa perfecta caracterizada por una esterilidad fría o un hogar feliz lleno de amor y de la presencia de Dios?». Necesitamos una medida de orden y disciplina en nuestro hogar, pero a menos que aceptemos un estándar más realista cuando llegan nuestros hijos, rápidamente nos convertiremos en Marta la preocupada en vez de María la serena.

Educadora. Nuevamente, basándome en la Escritura (Dt 11:18-20), creo que los padres son responsables de la educación de sus hijos con la meta de prepararlos para una eternidad feliz y para ser útiles en esta tierra, en ese orden. Ambos propósitos son importantes, pero el primero debe tener preeminencia. Tener en claro estas metas me ayuda a decidir dónde y cómo educarlos a la luz de las circunstancias familiares cambiantes, las finanzas limitadas, las necesidades de cada hijo individual, y el impacto de las decisiones educativas sobre los otros miembros de la familia. Todos estos factores tienen que ser tomados en cuenta al considerar la manera de alcanzar nuestras metas.

David y yo decidimos que la educación en casa era la mejor manera de alcanzar estas metas dentro de nuestro presupuesto. Sin embargo, también tuvimos que repensarlo, como por ejemplo cuando mi propia salud mental estaba sufriendo o cuando llegamos a la conclusión de que uno de nuestros hijos necesitaba más de lo que podíamos darle nosotros. Si la educación en casa transforma tu hogar en un lugar infeliz, obstaculizando tu bienestar espiritual y emocional, y el de tu familia, entonces necesitas pedir a Dios coraje, sabiduría y recursos para encontrar una mejor manera de alcanzar tus metas educativas.

Esposa de pastor. Yo no soy pastora, soy la esposa de un pastor. Eso significa que este rol aparece después de mis responsabilidades como ama de casa y educadora de mis hijos. Agradezco que las iglesias que David ha pastoreado no hayan puesto demasiadas expectativas sobre mí como esposa de pastor. Sin embargo, a veces he aceptado responsabilidades en ese rol que luego he lamentado haber aceptado por causa del impacto negativo sobre mí y mi familia. Recordando mis prioridades vocacionales (ama de casa en primer lugar, educadora en segundo lugar, y esposa de pastor tercero), tengo mucha más libertad de decir que no a las exigencias de la iglesia cuando puedo ver que dañaría nuestra vida familiar o la educación de mis hijos. Pero anhelo la etapa de mi vida cuando pueda volver a involucrarme mucho más. Es posible decir que no, incluso para quienes están involucradas en mega iglesias, que están comprometidas con muchas necesidades, como me dijo la esposa de un líder de adoración:

> No siento presión del liderazgo para estar en todos lados y hacer de todo. Creo que se reconoce que, en esta etapa de la vida, gran parte de mi rol de «servicio» incluye facilitar que mi esposo haga su trabajo los fines de semana, y mi singularidad y mis dones son reconocidos; no existe una única manera establecida en que una esposa de alguien en el ministerio puede apoyar a la iglesia. Esta es una maravillosa bendición. En nuestra última iglesia, me sentía presionada a estar ahí cada vez que se abrían las puertas, y eso generó tensión y con el tiempo un total desinterés de mi parte porque no podía mantener el ritmo, así que al final simplemente dejé de intentarlo en absoluto. Ese comportamiento rebelde no es algo común en mí. Eso fue cerca del comienzo del fin de nuestro tiempo allí y, mirando en retrospectiva, fue una de las primeras grandes señales de que era tiempo de irnos.

Médica. Obviamente, algunas esposas y madres tienen que trabajar fuera del hogar por varios motivos. Puede ser para llegar a fin de mes, puede ser para su propio desarrollo personal, o puede ser para mantener la certificación profesional por si llega a necesitarla en el futuro. Cuando nosotros inmigramos a los Estados Unidos, decidimos que no valía la pena invertir el tiempo o el dinero para que yo recibiera la licencia para practicar la medicina aquí. Sin embargo, cuando estábamos en el Reino Unido, había tanto trabajo disponible que podría haber practicado la medicina a tiempo completo. Entonces, ¿cómo decidí lo que tenía que aceptar y lo que tenía que rechazar?

Primero, mantuve en mente y en orden mi propósito espiritual y mi propósito vocacional. Mi bienestar espiritual estuvo en primer lugar. Luego se sumaron mis prioridades vocacionales. Yo era en primer lugar una ama de casa, luego una educadora, y luego la esposa de un pastor. La identidad de médica venía en cuarto lugar en mis prioridades vocacionales. Segundo, me hice estas dos preguntas: 1) ¿es el principal motivo para que yo trabaje una ganancia material que supere lo que necesitamos?; 2) ¿perjudica esto a nuestra familia por el hecho de estar siempre agotada? David y yo analizábamos habitualmente estas preguntas en oración y nos asegurábamos de que él pudiera reemplazarme de vez en cuando sin obstaculizar su trabajo. Si trabajar fuera del hogar daña nuestra vida espiritual o debilita nuestras responsabilidades familiares, necesitamos reconsiderar nuestras decisiones.

Tal vez tu situación no sea tan compleja como la mía. Probablemente seas una mujer soltera que trabaja y tienes una vocación: tu trabajo o tu negocio. Bueno, como sabes, igualmente es una vida ajetreada con presiones, ¿verdad? Una de mis amigas solteras me dijo que a ella le piden que haga mucho más que a las mujeres casadas porque... «¡bueno, tú no tienes familia!». Descubrió que esto también ocurría en la iglesia, ya que la proponen frecuentemente para múltiples comités y ministerios. Entonces, ¿cómo decides qué hacer? Esto nos trae nuevamente de regreso a preguntas acerca de nuestros propósitos en la vida.

Primero, continúa preguntándote: «¿Cuál es mi propósito espiritual? ¿Mi carga laboral y mi ritmo de trabajo están obstaculizándolo o ayudándolo?». Segundo: «¿Cuál es mi propósito vocacional?». Si tu propósito vocacional es servir a Dios en el lugar de trabajo, ese es tu principal lugar de servicio cristiano, y debes hacerlo con todas tus fuerzas (Ec 9:10). No debes sentirte culpable de decir que no a otras oportunidades de ministerio o de servicio si aceptarlas te impediría cumplir con tus responsabilidades laborales. Tercero: «¿Por qué lo estoy haciendo?». Discernir y purificar nuestras motivaciones nos ayudará mucho para decidir qué trayectoria profesional seguir, qué cargos aceptar, cuántas horas trabajar, y de qué manera trabajar. Si nuestro propósito principal es ganar dinero o trepar la escalera corporativa, entonces tomaremos ciertas decisiones. Si nuestro propósito principal es glorificar a Dios y servir a otros, tomaremos decisiones mucho mejores. También nos hará diferentes a otros y hará que los demás se pregunten: «¿Qué es lo que te motiva?». Las mismas preguntas pueden adaptarse también para la vida estudiantil. La clave para sobrevivir y florecer es identificar lo que Dios quiere que hagas, en qué orden de prioridades, y luego hacerlo.

Vida eclesial

Nunca faltan oportunidades para servir en tu iglesia, asistir a varios estudios bíblicos y a las reuniones durante la semana. La pregunta es, además de asistir a la iglesia el domingo, ¿qué más deberíamos estar haciendo en nuestra iglesia, a qué actividades deberíamos ir, y qué hospitalidad deberíamos ofrecer?

Nuestra respuesta depende de varios factores. Primero, considera la etapa de tu vida. Si eres madre en un hogar ajetreado, propietaria de un negocio, estudiante a tiempo completo, o empleada con muchas presiones, es improbable que tengas mucho más que una o dos horas por semana para la vida de la iglesia además de los servicios de domingo. Segundo, pregúntate por qué estás participando. Cuando me he planteado esa pregunta, a menudo me he dado cuenta de que estaba yendo a actividades, ministerios y eventos no por el Señor sino para agradar a otras personas y satisfacer lo que yo percibía que esperaban de mí. Sólo porque una persona esté haciendo muchos proyectos de evangelización o servicio no significa que tú debas hacerlo. Recuerda, ya estás sirviendo a Dios en tu propia vida espiritual, en tu vida familiar y en tu vida vocacional. Eso ya es mucho.

Pregunté a una de mis amigas solteras cómo decide qué oportunidades de servicio aceptar y cuáles rechazar. Ella dijo: «Comienzo en oración, luego analizo el nivel de necesidad, cuán vital es ese ministerio. Después de eso me pregunto: "¿Cuál es el valor spiritual para mí misma y para otros?". Y luego considero cuánto deleite encontraré al hacerlo».

Vida social

Las oportunidades para socializar son interminables, al igual que las expectativas de los demás para que tú socialices. Ya sean los grupos de la iglesia, los grupos del trabajo, los grupos escolares, o grupos de la comunidad, si tienes una mentalidad que te obliga a hacer todo, o una actitud predeterminada hacia el sí, cada vez que te pidan hacer algo o te inviten a ir a algún lugar, puedes sentirte totalmente abrumada.

Si identificamos el propósito de nuestras decisiones sociales para nuestra vida, podemos decidir mejor nuestra capacidad para socializar y hacer amigos. La intencionalidad y la claridad en nuestros propósitos y una honestidad humilde acerca de nuestras limitaciones no sólo facilitarán la toma de decisiones, sino que también nos ayudarán a aquietar nuestra conciencia acusadora que siempre exige más. Podemos decidir cultivar una cantidad limitada de amistades. O podemos decidir tener no más de dos o tres eventos sociales por semana. No podemos ser amigas de todas las personas, y no podemos satisfacer las expectativas de todos. Recuerda que nuestros propósitos sociales cambiarán, así como lo harán todos los demás propósitos en la transición a través de diferentes etapas en la vida.

Plan

Habiendo identificado los propósitos de nuestra vida en cinco áreas principales y habiendo decidido cuáles cargas llevar y cuáles dejar, ahora necesitamos un plan. Tenemos que resolver qué pasos dar para alcanzar los propósitos de nuestra vida. Puedo desear levantar veinte veces pesas de diez kilos, pero a menos que tenga un plan gradual, nunca lo lograré. Entonces, observamos los propósitos de nuestra vida y preguntamos: «¿Qué pasos necesito dar para llegar allí?». A continuación, enumero los pasos liberadores de estrés que intento seguir para que mis propósitos se transformen en planes.

Agenda

Si no está en la agenda, no ocurrirá. Si las actividades relacionadas con los propósitos de mi vida no están en la agenda, resulta claro que no estoy tomando en serio estas metas para mi vida. Poner todo en la agenda también nos ayuda a dejar de comprometernos de más, ya que podemos visualizar la imposibilidad de lo que estamos intentando hacer. Prometer en exceso es el resultado fatal de una perspectiva demasiado optimista de nuestras capacidades, con el agregado de una estimación irreal de nuestro tiempo disponible, además de un deseo de agradar a otras personas. El resultado es un enorme estrés para el que hace promesas y generalmente una tremenda desilusión para los receptores de las promesas.

Al estar casada y tener hijos, no puedo planificar mi agenda de manera solitaria. David y yo dedicamos cierto tiempo cada semana, idealmente antes de que comience la semana, para coordinar nuestras agendas, enfocándonos principalmente en la semana próxima, pero también mirando la semana en el contexto de lo que ha ocurrido antes y lo que vendrá después. Esto previene conflictos, permite compartir responsabilidades familiares, y aumenta la mutua rendición de cuentas. Tenemos especial cuidado de asegurarnos de no estar fuera de casa demasiadas noches en la semana, de que David no acepte demasiadas invitaciones a predicar los fines de semana, y de no decir que sí simplemente para agradar a los demás. Ambos creemos que pastorear a nuestros hijos y nutrir nuestra propia relación es nuestra primera prioridad, porque es en estas relaciones familiares donde Dios obra principalmente.

Intenta prever cómo se verá la planificación de tu agenda cuando comiences a vivirla realmente. Agregar múltiples actividades a tu agenda es fácil y se logra muy rápido, pero toma mucho más tiempo llevarlas a la práctica. Dedica cierto tiempo para evocar en tu mente cómo será el día o la semana antes de agregar otro compromiso.

Rutina

Uno de los problemas más comunes asociados con el estrés y la depresión es la falta de una rutina. Como Dios es un Dios de orden, no de desorden (1Co 14:33), como seres creados a su imagen floreceremos mejor cuando nuestras vidas tengan un ritmo regular y una rutina para comer, dormir, trabajar y jugar. Es más fácil tener una rutina si trabajamos fuera del hogar, porque tenemos colegas y un jefe. Si somos amas de casa a tiempo completo, tenemos que esforzarnos más para imponer una rutina sobre nosotras mismas y sobre nuestra familia. A menudo he notado que cuando me salgo de la rutina, mis hijos se portan mal. Si no sé qué es lo siguiente, ellos se dan cuenta, y todo se vuelve caótico. Es por eso que tantas madres luchan durante el receso de verano. Mis hijos generalmente me preguntan en la mañana: «¿Cuál es el plan para hoy, mamá?». Si ya lo tengo escrito, entonces es mucho más fácil responder y evitar que ellos me digan cuál es mi agenda.

Prioridades

«Si no estableces prioridades en tu vida, otra persona lo hará»[43]. Si queremos establecer nuestras propias prioridades, comenzamos enumerando todos nuestros deberes, actividades y metas, y luego, utilizando los propósitos de nuestra vida, las colocamos en cuatro categorías:

1. *Hacer con determinación.* Tus responsabilidades y compromisos más importantes dados por Dios.
2. *Deseo hacer.* Actividades que desearías hacer, esperas hacer, y que harás algunas de ellas luego de concluir las de «hacer con determinación».
3. *Hacer más adelante.* Actividades valiosas que te encantaría hacer algún día, pero que debes posponer ahora, hasta que tengas espacio y tiempo en tu agenda.
4. *No hacer.* Cosas que te comprometes a dejar de hacer o a decir que «no» en el futuro.

Entonces, nuestra agenda debería reflejar los propósitos y las prioridades de nuestra vida, algo que usualmente revela si estamos siendo realistas o idealistas. Como mis mañanas son mi tiempo más

43. Greg McKeown, *Essentialism: The Disciplined Pursuit of Less* (Nueva York: Crown, 2014), 10.

productivo, allí es donde hago las tareas más demandantes física y mentalmente. Generalmente salgo por la tarde a hacer mandados y luego regreso a casa con tiempo suficiente para preparar la cena. En las noches, David y los niños generalmente están en casa, y disfrutamos un tiempo juntos en familia. Las noches generalmente también son el mejor momento para que yo haga mis propias cosas, como leer. No estoy diciendo que siempre sale bien, pero sin un plan, nunca saldrá bien.

Pero ¿qué ocurre si eres una joven soltera? Aquí está la respuesta de una cristiana a quien he llegado a respetar y amar:

> ¿Cómo establezco mis prioridades? A menudo les pregunto a mis padres. Ellos han vivido mucho más tiempo que yo y han demostrado su sabiduría una y otra vez. Cuando acepté un cargo de maestra para trabajar mientras estudiara el siguiente año, ellos me dieron mucho aliento y muchos consejos para ayudarme a equilibrar la agenda del año siguiente. También me he creado un listado de cinco preguntas cuando estoy decidiendo qué priorizar en mi agenda:
>
> - ¿Me permite poner a mi familia en primer lugar? ¿Esta semana podré tener una cena o devociones en familia?
> - ¿Esta agenda semanal me permite tener al menos una reunión con una amiga o discípula (con el propósito de tener comunión y rendición de cuentas espiritual)?
> - ¿La agenda de esta semana me permite un espacio adecuado de tiempo para los deberes y otras tareas, para no terminar agobiada?
> - ¿Esta semana tiene recesos planificados cada día? (Una caminata, una siesta, tiempo para leer, etc.)
> - ¿Esta agenda semanal concede una prioridad clara para

mi relación con Dios? ¿Las cosas a las que me comprometo pueden ser hechas para su gloria y honor? ¿O estaré demasiado distraída para poner en práctica mi listado de tareas pendientes? ¿Hay suficiente tiempo para la meditación y la oración personal?

Detalles

Intento escribir tareas específicas para el día, incluyendo quehaceres domésticos de los niños, las tareas de la escuela, administración, compras, citas con el odontólogo, deportes de los niños, y sesiones habituales de ejercicios. Si puedo tener mi listado preparado la noche anterior y registrado en mi agenda, es más probable que tenga un buen día. Cuando no lo logro, me encuentro enfrentando el día con una desagradable falta de claridad e incluso con ansiedad. Aunque planificar los detalles toma cierto tiempo, he descubierto que suscita un ahorro de tiempo en el largo plazo y me evita tener un día de vida convocada, el tipo de vida que está siempre a plena disposición de mis hijos y de los demás.

Na•a

Es sumamente importante que parte de nuestro día tenga como título la frase «sin agenda establecida». Durante los recesos de verano, les digo a mis hijos que vamos a hacer un plan grande cada semana, como ir a la playa o juntarnos con amigos de la iglesia. En una determinada semana no podremos ir a la playa, jugar fútbol, asistir a una fiesta de cumpleaños, participar en un campamento de la iglesia, y también ir a un viaje del grupo de jóvenes. Estructuramos las semanas como para tener varios días de ocio, cuando nosotros y nuestros hijos pasamos tiempo en casa. Jugamos juntos, nos reímos e intentamos vivir al ritmo de la gracia. Todos necesitamos un tiempo desestructurado. A veces el mayor logro es no lograr nada.

Revisión

Cuando comenzamos el proceso de reducir, necesitamos tomar tiempo al final de cada semana para hacer una evaluación. ¿Planificamos demasiado? ¿Previmos suficiente margen? ¿Estuvimos corriendo como gallinas sin cabeza? Al principio, la comparación entre la planificación y la realidad es algo impactante, pero lentamente alinearemos nuestras expectativas con la realidad, reduciendo la frustración, la desilusión y el estrés.

Cada dos o tres meses, necesitamos realizar una evaluación del panorama general para ver si necesitamos adaptarnos a nuevas circunstancias. Por ejemplo, solíamos tener devociones familiares directamente luego de la cena por la noche. Ahora que nuestros hijos más grandes a veces trabajan hasta tarde o van a clases de la universidad por la noche, a menudo hacemos las devociones más tarde, cuando todos han llegado.

Poda

Ahora llegamos a la parte más dolorosa del ejercicio de reducir. Habiendo identificado los propósitos de nuestra vida y habiendo planificado cómo alcanzarlos, debemos *remover* algunas cosas para poder hacer bien lo más importante.

Y la herramienta más importante aquí es una palabra de dos letras: *no*. Aunque es una de las primeras palabras que aprendemos en nuestra infancia, de alguna manera se vuelve una de las palabras más difíciles de decir en la adultez. Nuestro plato ya está lleno cuando se nos pide que metamos a la fuerza algo más. No es una tarea enorme en sí misma, pero es la décima tarea adicional que hemos agregado esta semana. Sabemos que deberíamos decir que no, pero de alguna manera el sí se nos escapa de los labios. El resultado es que hacemos todo mal y nada bien. Las muchas cosas triviales desplazan a las pocas que son vitales. Ocurre en el hogar, en el trabajo, en la iglesia y en los clubes y asociaciones que apoyamos. Se nos conoce como «máquinas de decir que sí» y por tanto todos nos piden de todo.

Permíteme ser franca aquí. No importa cuánto implementes de este libro, nunca renovarás tu vida mientras no aprendas nuevamente a decir que no y comiences a decirlo; y no solo a las cuestiones grandes, sino también a las pequeñas. Podrías argumentar: «Pero no agradaré a las personas si digo que no a todo». No se trata de decir que no a todo; es decir que no a algunas cosas. Y decir que sí a todos puede significar que estás diciendo no a Dios. Como lo demostró Jesús, decir que no a los planes que otras personas hacen para nosotros nos permite decir sí a la voluntad de Dios para nuestra vida (Lc 12:13-14; Jn 2:4).

Lo que me ha ayudado a podar con la cuchilla afilada del no es darme cuenta de que puedo vivir intentando satisfacer las necesidades y las expectativas ilimitadas de los demás o puedo vivir de acuerdo con mi capacidad limitada y las expectativas de mi Padre celestial. Si intento lo primero, trabajaré cien horas por semana, no llegando nunca a satisfacer toda necesidad o expectativa, y terminaré agobiada, agotada, o algo peor. Si intento lo segundo, puedo trabajar a la medida de mi capacidad personal con una conciencia tranquila y pacífica, aun si las personas me critican o me malinterpretan. Con los propósitos de mi vida en una mano y mi capacidad limitada en la otra, puedo podar las necesidades y expectativas de tal forma que estoy haciendo bien y con alegría aquello que es más importante, y puedo tener un sentido de satisfacción cuando disfruto un tiempo de descanso.

Fórmula mágica

Debido a las diferencias en nuestras circunstancias, no existe una fórmula mágica que sirva para todas. Lo que puedo hacer es compartir contigo el equilibrio entre la vida bien planificada y la vida convocada que funciona mejor con mi personalidad y mis responsabilidades en esta etapa de mi vida, una ecuación que me está ayudando a lograr lo que creo que es el llamado de Dios para mí, mientras al mismo tiempo me mantengo abierta a interrupciones y acontecimientos inesperados: 60 por ciento de vida bien planificada + 40 por ciento de vida convocada + 100 por ciento de vida de oración. Esta ecuación no sigue la lógica matemática, pero tiene sentido espiritual. Sin la oración diaria para recibir la ayuda diaria de Dios, no puedo lograr nada.

Ahora tenemos un renovado sentido de propósito, un plan para llegar allí, y hemos eliminado parte del equipaje innecesario que estábamos cargando. Ahora hagamos una pausa en la próxima estación y recarguemos nuestra energía para la próxima etapa en el camino de la vida.

Estación 8

Recargar

Mi esposo le preguntó una vez a un psicólogo cristiano qué tratamiento sigue con las personas que sufren depresión o ansiedad. Él respondió: «Ah, eso es fácil. Les doy tres pastillas». David sintió gruñidos en su interior al ver que tristemente se confirmaban muchas caricaturas de médicos que lo único que hacen es recetar pastillas. Sin embargo, después de una pausa intencional, continuó diciendo: «Buen ejercicio, buen descanso y buena dieta». La conversación posterior dejó claro que no estaba sugiriendo que esas tres «pastillas» fueran la respuesta completa a cada episodio de depresión o ansiedad, pero estaba señalando que esos son los tres pilares fundamentales de cualquier tratamiento de largo plazo de una enfermedad mental o emocional. Dado que en las estaciones anteriores hemos cubierto dos de estas «pastillas», el buen descanso y el buen ejercicio, comenzaremos este capítulo considerando cómo la tercera pastilla, la buena dieta, ayuda a recargar mentes y estados de ánimo debilitados. Luego analizaremos pastillas verdaderas, medicamentos, y su probable rol para recargar la salud mental y emocional. Finalmente, añadiremos algunos suplementos energéticos identificando las actividades que recargan nuestras energías.

Alimento

Sé que la mayoría de ustedes están cansadas de escuchar acerca de la última moda en alimentos, las dietas extremas y recetas idealistas. No te preocupes, a mí me ocurre lo mismo. El gimnasio Renueva tu vida se enfoca en encontrar un equilibrio saludable entre el idealismo y la máxima indiferencia. Aquí apuntamos a ese extraño y poco concurrido espacio de realismo práctico.

Cuando comencé a ejercitar en serio nuevamente, me sorprendí del énfasis que mi instructor hacía en comer la comida adecuada antes y después de ejercitar. Cuando yo corría carreras hace algunas décadas, nadie hablaba de ese factor. Sin embargo, he llegado a reconocer que, así como mi auto no se moverá sin combustible y quedará inservible si le echo diésel, así también todas nosotras necesitamos una recarga frecuente con el tipo correcto de alimento si queremos correr bien. Ya hemos avanzado mucho desde que ingresamos al Gimnasio *Renueva tu vi•a,* y hemos logrado muchas tareas de reparación en cada estación. Pero gran parte de eso será en vano si no llenamos nuestro tanque con combustible de primera calidad. Al utilizar nuestro cuerpo y nuestra mente, estos sufren un desgaste y necesitan recargar sus energías para no descomponerse.

Al igual que en las estaciones anteriores, comenzamos con teología. «En conclusión, ya sea que coman o beban o hagan cualquier otra cosa, háganlo todo para la gloria de Dios» (1Co 10:31). Estamos acostumbradas a la idea de glorificar a Dios con nuestra boca a través de la adoración y la oración, pero glorificar a Dios con lo que comemos y bebemos no es algo tan familiar para nosotras. Sin embargo, eso es lo que enseña el apóstol. Cada decisión que tomamos acerca de qué comer o beber magnifica o minimiza la gloria de Dios.

Ese es el principio bíblico, pero ¿cómo lo llevamos a la práctica? Ningún libro de la Biblia ofrece un plan de alimentación. Allí es donde la verdad de Dios descubierta mediante la ciencia nos puede ayudar nuevamente. La investigación científica acerca del impacto de la comida sobre nuestra mente y nuestro estado de ánimo no solo puede instruir nuestra conciencia, sino también aumentar nuestra fuerza de voluntad para obedecer mejor la voz de Dios en 1 Corintios 10:31.

Alimento y mente

Utilizamos nuestra mente para aprender acerca de la comida, pero la comida misma ayuda a que nuestras mentes aprendan. De hecho, nuestro cerebro utiliza más comida que cualquier otro órgano del cuerpo, captando el 50 por ciento de la glucosa disponible[44]. Es por eso que saltarse el desayuno es tan malo para nosotras. Puede darnos más tiempo para trabajar, pero terminamos haciendo menos trabajo ya que el cerebro está privado de los nutrientes y las vitaminas esenciales. Estudios en niños hallaron que los cereales azucarados en el desayuno debilitan la atención y la memoria, mientras que las tostadas, los huevos, los arándanos y las fresas aumentan su rendimiento cognitivo y su coordinación. Los antioxidantes presentes en ensaladas depuran la mente de químicos no saludables, y el aceite de pescado no solo fortalece el cerebro, sino que también

---

44. La mayoría de las estadísticas acerca de los alimentos en este capítulo están tomadas de Alan Logan, *The Brain Diet: The Connection Between Nutrition, Mental Health, an• Intelligence* (Nashville: Cumberland, 2006). Ver también «Food and Mood», Mind.org, http://www.mind.org.uk/information-support/tips-for-everyday-living/food-and-mood/#.VvQQIZMrJTY; Sarah-Marie Hopf, «You Are What You Eat, How Food Affects Your Mood», *Dart-mouth Un•ergra•uate Journal of Science* (febrero 3, 2011), http://dujs.dartmouth.edu/2011/02/you-are-what-you-eat-how-food-affects-your-mood/#.VvQQ0JMrJTY; Joy Bauer, «Improve Your Mood with These Foods», *To•ay Health,* octubre 31, 2006, http://www.today.com/id/15490485/ns/today-today_health/t/improve-your-mood-these -foods/#.VvQPeJMrJTY.

retrasa la demencia. Querrás comer aguacate antes de tu próximo examen, ya que no solo disminuye la presión arterial, sino que también aumenta el oxígeno y el torrente sanguíneo hacia el cerebro.

Una dieta saludable no solo es importante para nuestro trabajo y nuestro estudio; también es algo fundamental para nuestra vida espiritual. Generalmente Dios obra en nuestra alma a través de nuestra mente, ya que nuestro cerebro procesa las palabras y las oraciones. Por tanto, cualquier comida que obstaculice la mente también obstaculiza nuestra relación con Dios, y cualquier cosa que fortalezca nuestro cerebro también debería fortalecer nuestra relación con Dios. Sí, oramos: «Danos hoy nuestro pan de cada día», y Dios nos responde generalmente con estantes repletos en el supermercado. Pero allí es donde aparece nuestra responsabilidad de glorificar a Dios con nuestras decisiones. La cantidad y la calidad de lo que comemos y bebemos influirá en la cantidad y la calidad de nuestra vida intelectual y nuestra vida espiritual.

Alimento y estado de ánimo

Lo que comemos afecta no solo la manera en que pensamos, sino también cómo nos sentimos. Aunque algunas de nuestras emociones fluyen de nuestros pensamientos, la comida también influye directamente sobre la producción de químicos en nuestro cuerpo que afectan el estado de ánimo. Veo esto habitual y nítidamente en la vida de mi hija diabética. Casi puedo calcular el azúcar en sangre y los niveles de insulina mediante sus emociones. Pero no necesitamos ser diabéticos para experimentar la manera en que algunos alimentos nos ponen fastidiosos e irritables, mientras que otros nos energizan y aumentan nuestra felicidad. Los científicos nos están ayudando a entender mejor estas conexiones, ya que ciertas tomografías pueden trazar la manera en que algunos alimentos afectan diferentes partes de nuestro cerebro, produciendo diferentes emociones. Por ejemplo, han descubierto que los alimentos de fibra soluble (por ejemplo, la avena, las fresas y las arvejas) reducen la absorción de azúcar en sangre, suavizando la oscilación del estado de ánimo. Los químicos que hacen que nuestro cerebro funcione eficientemente (neurotransmisores) son multiplicados con alimentos como las nueces, el salmón y los alimentos ricos en vitamina D. Los esquimales y otras comunidades que dependen del pescado experimentan niveles mucho más bajos de depresión. Por otro lado, la comida chatarra aumenta los niveles de estrés, y es común encontrar en mujeres con depresión una deficiencia de ácido fólico (presente en lentejas y brócoli).

Cuando estamos deprimidos o estresados, es posible que necesitemos leer más nuestra Biblia; pero también puede significar que necesitamos consumir mejor comida. Ninguna cantidad de versículos bíblicos neutralizarán las reglas nutricionales esenciales que Dios ha establecido para este mundo.

Medicamentos

Nunca me imaginé que necesitaría medicación antidepresiva. Yo era por naturaleza una persona alegre y optimista. Y, más importante aun, era una cristiana con una fe firme en Dios. Pero llegó el día cuando pude reconocer que esa medicación era una provisión dada por Dios para mí. Esa mañana, me había despertado una vez más en un estado de pánico a la 5 de la mañana, y me di cuenta de que rápidamente estaba perdiendo una batalla mental. De hecho, ya no tenía fuerzas para luchar. Mi mente estaba arruinada, y en ese momento extremo quedó claro que tenía que considerar seriamente el uso de antidepresivos, a pesar de mi resistencia y renuencia iniciales.

Cuando practicaba la medicina, algunas veces había recetado medicación antidepresiva para otras personas. Pero, ¿para mí? Inconcebible. Sin embargo, Dios me había traído a este punto de desesperación, donde sentía como si me estuviera ahogando. En ese momento la medicación fue como un salvavidas que Dios puso frente a mí, y ese día tomé mi primera pastilla de Citalopram 20 mg. Hoy, agradezco a Dios por su misericordia y provisión. De hecho, dudo que pudiera haber sido capaz de escribir este libro con David si no hubiera renunciado a mi inútil batalla contra la buena providencia de Dios y si no hubiera aceptado humildemente y usado uno de los medios de sanidad de Dios.

Obviamente, este es un tema controversial, y las comunidades médicas y cristianas todavía están aprendiendo acerca de estos medicamentos, cuándo deben usarse, y qué rol deben desempeñar en la vida de los creyentes. Lo que me gustaría hacer es compartir contigo algunas de las lecciones que he aprendido, como alguien que ha recetado antidepresivos con mucho cuidado y como alguien que los ha consumido con precaución, para ayudarte a decidir si tu mente agotada podría beneficiarse de la medicación como refuerzo.

No te apresures a tomar antidepresivos. La medicación casi nunca debería ser la primera opción, a menos que la situación sea urgente y grave. La mayoría de mis pacientes que estaban lidiando con temas emocionales no requerían medicación. A menudo, el trastorno emocional de las personas es temporal y puede resolverse con comprensión, apoyo familiar, cuidado pastoral, consejería, abordar decisiones perjudiciales en el estilo de vida, y arrepentimiento de algún hábito pecaminoso. Hay muchas otras cosas que deberíamos hacer antes de recurrir a la medicación; lo que analizamos en las estaciones anteriores de *Renueva tu vida.*

No descartes los antidepresivos. Aunque no deberíamos apurarnos a tomar medicación, y usualmente deberíamos intentar primeramente otros medios de sanidad, no debemos descartar los antidepresivos. Pregúntate si tu negación incluso a considerarlos podría provenir de un orgullo pecaminoso, falsas presuposiciones o una antropología no bíblica o demasiado simplista. Sobre esto último, si negamos la existencia de los trastornos mentales o emocionales, podemos estar negando la enseñanza de la Biblia acerca de los efectos profundos y dañinos de la caída sobre nuestra humanidad entera. La Biblia nos enseña que la física, la química y la electricidad de nuestro cuerpo están dañados por la caída en pecado de la humanidad. La ciencia nos enseña que nuestro cerebro utiliza la física, la química y la electricidad para procesar pensamientos y producir emociones. Si juntamos esas dos realidades, entenderemos de qué manera la capacidad de nuestro cerebro para procesar nuestros pensamientos y emociones será obstaculizada dependiendo del nivel al cual nuestro cerebro está afectado por la caída. La antropología bíblica nos ayuda a entender el daño que la caída ha producido sobre nuestro cuerpo, y también a recibir la provisión de Dios para revertir el daño.

No esperes demasiado tiempo. Lo más importante que debe resonar en la cultura estadounidense de la excesiva prescripción es: «No te apresures a tomar medicación». Sin embargo, esperar demasiado tiempo también puede ser perjudicial. Ocasionalmente, he recetado medicación con prontitud para que no sea tarde, porque sentí que la situación era extremadamente urgente y la depresión era alarmantemente profunda. Cuanto más profundo alguien cae en el hoyo, más difícil resulta volver a trepar. Y algunos estuvieron incluso cerca del suicidio. Mi trabajo a veces era similar a un salvavidas que sujeta con firmeza a un niño que se ahoga. Sólo después del rescate y estando más estables lograban comenzar a hablar acerca de cómo habían llegado hasta allí, cómo recuperarse totalmente y cómo prevenir que les ocurra nuevamente lo mismo.

No esperes resultados rápidos. La mayoría de los antidepresivos demoran entre diez y catorce días para comenzar a mostrar una diferencia perceptible y aproximadamente un mes para poder evaluar una mejora significativa. Puede haber un tiempo de prueba y error mientras el médico intenta encontrar la medicación que funcione mejor para ti en la dosis correcta.

No dependas solo de la medicación. Uno de los errores más grandes que cometen las personas es pensar que una simple pastilla resolverá los problemas. Nunca he visto a nadie recuperarse de depresión o ansiedad solamente tomando medicación. Eso es porque generalmente existe un abanico de cuestiones que necesitan abordarse. La medicación solo puede funcionar bien cuando es parte de un tratamiento integral que tiene en cuenta toda nuestra humanidad.

No te obsesiones con los efectos secundarios. Así como ocurre con la mayoría de los medicamentos, algunas personas pueden experimentar efectos secundarios desagradables por los antidepresivos, y esto definitivamente debe tomarse en cuenta a la hora de decidir. Pero también deben considerarse las consecuencias de no hacer nada. Considera también que algunas de las investigaciones más recientes han descubierto una creciente evidencia de que cuanto más tiempo dure la depresión, más daño reciben el cerebro, otros órganos e incluso nuestros huesos. Resumiendo la pérdida o el daño de tejido cerebral, el Dr. Philip Gold del Centro Médico NIH dijo: «¡Hay más pérdida de tejido en la depresión que en la enfermedad de Parkinson!». Y advirtió: «La depresión es una enfermedad completa, un desorden sistémico de todo el cuerpo con aspectos neurodegenerativos y es una enfermedad progresiva, mucho más seria, en mi opinión, de lo que se consideraba anteriormente»[45].

Las personas deprimidas y ansiosas son susceptibles a una mayor

45. Philip Gold, «Can Depression Be Cured? New Research on Depression and Its Treatments», Library of Congress, http://www.loc.gov/today/cyberlc/featurewdesc. php ?rec=7417&loclr=eanw.

ansiedad por los posibles efectos secundarios, aun más si ya tienen prejuicios contra los antidepresivos. Con demasiada frecuencia, esto hace que no quieran tomar la medicación recetada, tomando una dosis demasiado baja, y concluyendo con demasiada prontitud que «no funcionó».

Al contrario de lo que algunas personas afirman, la mayoría de los antidepresivos no cambian tu personalidad ni de alguna manera te hacen espiritualmente insensible. Dios restauró mi personalidad por medio de antidepresivos, entre otras cosas. ¿Mis emociones continúan intactas? Por supuesto que sí. Pero lo que ha desaparecido es la vorágine de la depresión. Ya no tengo ganas de llorar cada vez que escucho algo malo o de llenar mi mente con cualquier cosa triste que existe. Eso era insalubre y patológico. Dios ha calmado la tormenta, en parte a través de la medicación.

No te guardes nada. Cuando hables con tu médico, dile todo. Deja que el médico decida cuál información es relevante y cuál no. No minimices ni restes importancia a nada, incluso si te da vergüenza compartirlo. Tu médico ve a muchas personas en tu situación cada semana.

No te obsesiones por dejar la medicación. Una de las preguntas más comunes que recibo de las personas que están comenzando a tomar antidepresivos es: «¿Cuándo podré dejarlos?». Es parecido a tomar Ibuprofeno por tus síntomas gripales, y al momento en que baja tu temperatura dices: «Bueno, ya estoy bien. ¿Cuándo puedo ir a trabajar?». Una de las lecciones que Dios enseña en la depresión es la paciencia. La gripe continúa su curso, y estarás bien en una o dos semanas. La depresión también continúa su curso, pero necesitas calcular entre seis meses y un año. La angustia acerca de querer dejar la medicación tan pronto como sea posible sólo genera una exacerbación mental adicional, que puede profundizar tu depresión. Una causa común de reincidencia en la depresión es dejar los antidepresivos antes de que se haya completado la sanidad total.

No los abandones demasiado pronto. Aunque los antidepresivos modernos no son adictivos, igualmente es mejor dejarlos de una manera planificada, lenta y gradual. Confía en la sabiduría y el cronograma de tu médico al guiarte en una reducción gradual de la medicación durante un período de tiempo. Si la depresión ha sido especialmente profunda y duradera, parte del daño no será totalmente revertido y requerirá un tratamiento más prolongado de antidepresivos.

Yo intenté dejar la medicación completamente varias veces, y al principio generalmente andaba bien. Pero luego de varios meses podía sentir que regresaban todos los antiguos síntomas de pánico. A través de esta experiencia personal y escuchando esta historia de demasiadas personas, he aprendido a aceptar que, así como David toma una pequeña dosis de Coumadin por el resto de su vida para prevenir coágulos de sangre en sus pulmones, y así como mi hija diabética necesitará insulina todos los días por el resto de su vida para controlar el nivel de azúcar en sangre, también yo necesito algún antidepresivo para evitar el colapso mental y emocional. Como lo expresó el Dr. Martyn Lloyd-Jones: «No es más pecaminoso el hecho de tomar medicamentos para corregir la química del cerebro, que el hecho de sustituir la química anormal del páncreas en un caso de diabetes mediante el uso de insulina»[46]. Luego añadió:

> Por tanto, podemos asegurar a quienes creen que es pecaminoso tomar medicamentos relacionados con la función cerebral que, en los casos en que el estudio clínico y el uso adecuado les han demostrado ser valiosas, deben ser recibidas con acción de gracias. Todas las cosas en la naturaleza y el conocimiento científico son dones de Dios y

46. Martyn Lloyd-Jones, *Healing and the Scriptures* (Nashville, Thomas Nelson, 1988), 169.

> deben ser usados para su gloria... Aceptar los medicamentos y usarlos no hace diferencia a nuestra fe y salvación[47].

Ese tipo de razonamiento me ayudó a aceptar mi situación como parte de la providencia soberana (y bondadosa) de Dios. También me ayudó a pensar que el daño producido a un vehículo por el combustible insalubre es permanente. A veces el motor del vehículo tiene un defecto permanente para procesar el combustible de manera eficiente. De manera similar, la depresión que nos ha dejado cicatrices permanentes o que tiene un origen genético puede necesitar ayuda con antidepresivos para toda nuestra vida. Sin embargo, Dios la utiliza como usó la espina en la carne de Pablo para enseñarnos nuestra debilidad y la fortaleza de Dios.

No te avergüences de tomar antidepresivos. Sí, como ocurre con todos los dones de Dios, algunas personas hacen un mal uso de los antidepresivos, pero eso no significa que tú no debas usarlos en absoluto. Si la medicación es un buen don de Dios, no debemos despreciarla. Una vida al ritmo de la gracia no rechaza ninguna de las gracias de Dios si son necesarias. Jeni admitió: «Fue una lucha para mí aceptar la necesidad de medicación porque sentía que estaba sucumbiendo a la debilidad y no estaba siendo lo suficientemente fuerte. Y era muy difícil porque gran parte de mi familia cree que no puedes recurrir a la medicación. Pero ahora la veo como un don de Dios».

Pide a Dios que bendiga la medicación y considérala como parte de un conjunto de medidas espirituales, físicas, mentales y sociales. Sheila Walsh, la cantante cristiana que también sufrió depresión, dice esto: «Continúo tomando medicación. La tomo cada día con una oración de agradecimiento porque Dios ha hecho que esta ayuda esté disponible para quienes la necesitamos»[48]. ¡A esto digo amén!

---

47. *Ibid.*, 172.
48. Sheila Walsh, «The Church and Mental Illness», SheilaWalsh.com, septiembre 2, 2013, http://sheilawalsh.com/the-church-and-mental-illness/.

Mi amiga Sally, cuya familia tiene una historia de trastorno bipolar, contrastó las prolongadas internaciones hospitalarias de su abuela después del nacimiento de sus hijos, que resultaban ser una carga muy ardua para sus otros hijos y para su esposo, con su propia experiencia de prevenir esta separación de sus hijos recién nacidos mediante el don del litio.

No le cuentes a to•o el mun•o. Si decides que la medicación es la voluntad de Dios para ti, ten cuidado a quién le cuentas. Aunque tomar la mayoría de los medicamentos suscitará empatía y oración de la iglesia, todavía hay muchos malentendidos acerca de la medicación para la depresión y otros problemas de salud mental. Ya que no quieres agregar discusiones o peleas a tu vida mientras batallas, selecciona cuidadosamente a quiénes contarles, solicítales que mantengan la confidencialidad, y pídeles que oren por ti y que Dios bendiga la medicación.

No creas en las caricaturas. Algunas personas piensan que sólo los perdedores y los vagos se deprimen. Nada podría estar más alejado de la verdad. La gran mayoría de las cristianas deprimidas a quienes he aconsejado a lo largo de los años han sido exactamente lo opuesto: personalidades tipo A, grandes emprendedores siempre en búsqueda de oportunidades para servir a otros. De hecho, han sido tan hiperactivas que se han excedido y terminaron colapsadas. Pero están ansiosas por ponerse bien y regresar a la pista nuevamente.

Una buena alimentación recarga nuestro cuerpo y mente; en situaciones graves, la medicación estimula un combustible cerebral adicional. Ahora identifiquemos las actividades que consumen nuestra energía y las que recargan nuestros tanques.

Energizantes

Cuando somos jóvenes, a menudo parece que tenemos energía

ilimitada. Nada nos detiene ni hace que bajemos la velocidad. Sin embargo, al entrar a los treinta y cuarenta años notamos que nuestras reservas de energía no son infinitas como pensábamos. Algunos días volamos; pero otros días desfallecemos. ¿Qué es lo que produce la diferencia? Al principio es difícil darse cuenta, pero al tiempo notamos que algunas actividades recargan nuestros tanques mientras que otras nos consumen. Así descubrimos que tenemos que buscar un equilibrio entre lo que nos recarga y lo que nos consume, de manera tal que si tenemos una actividad que nos consume, después hacemos alguna que nos recargue. De otra manera estaremos conduciendo sin combustible, lo cual no durará mucho tiempo. Administrar el consumo de nuestra energía es igual de importante que administrar nuestro dinero y nuestro tiempo. Las palabras del Pastor Greg son una reflexión acerca de la experiencia de depresión de su esposa Jeni, pero se aplican a todos los cristianos que viven vidas con demasiado estrés por mucho tiempo:

> La vida de una familia joven puede ser increíblemente estresante, y no creo que realmente advirtamos suficientemente la carga de ese estrés día tras día. Y no necesita ser una familia que experimente algún acontecimiento verdaderamente traumático. Puede simplemente ser la vida cotidiana normal de una familia joven activa. Si no tomas precauciones para cuidar la salud física, la salud emocional, la salud espiritual, al tiempo te quedarás sin combustible y sin energía, y te estrellarás. Y creo que es un verdadero peligro en círculos cristianos conservadores que simplemente seguimos andando y andando, haciendo la voluntad de Dios, con toda la fundamentación espiritual por detrás, y luego de repente nos encontramos completamente exhaustos.

La administración de nuestra energía comienza con la identificación de aquello que nos consume y aquello que nos recarga, para que podamos planificar con antelación y recargar nuestras energías cuando están bajas. Para ayudarte a identificar esto en tu caso, aquí hay una muestra de lo que me ocurre a mí:

> *Lo que me recarga:* leer la Biblia y orar, escuchar sermones centrados en Cristo y participar en reuniones de la iglesia, leer libros (principalmente biografías y libros que no sean de ficción, especialmente cristianos), leer blogs, pasar tiempo con David y la familia, comer buena comida, hacer el jardín, caminar a orillas de ríos, lagos y océanos, pescar, encontrarme con amigas para tomar café y hablar a través de FaceTime con familiares que están lejos, recibir amigos de mis hijos, ver que alguien se convierte a Cristo, ver crecimiento en el pueblo de Dios, practicar la gratitud y reír.

> *Lo que me consume:* las compras de supermercado, encargarme de las citas de la familia con odontólogos y médicos, intervenir en peleas de niños, sobrecargar mi listado de tareas pendientes, el temor y la ansiedad, comprometerme en exceso, aconsejar, socializar en exceso, quedarme despierta tarde en la noche, mirar el noticiero, correos electrónicos, obsesionarme con mis fracasos, la negatividad, y ocuparme de tareas administrativas.

Recuerda que todas somos diferentes. Lo que me recarga a mí puede consumirte a ti, y viceversa. Yo soy más bien extrovertida mientras que David es más introvertido. Hemos aprendido a entender que lo que me energiza a mí puede ser algo que lo consume a él en gran medida, y nos adaptamos según sea necesario. Mientras que a mí me consume hacer compras en el supermercado, a una de mis amigas le encanta y pelea con su esposo para hacerlo. Algunas de mis amigas se energizan cantando juntas alabanzas a Dios en su práctica semanal de coro.

También están las actividades cotidianas que nos consumen y nos recargan, las que encontramos en nuestra vida ordinaria y cotidiana. Sin embargo, a veces nuestra vida es golpeada por grandes cambios como la pérdida de un ser amado, un conflicto familiar, o una mudanza. Estos acontecimientos hacen grandes agujeros en nuestros tanques, y necesitamos un cuidado especial durante estas épocas.

Tercero, algunas de las actividades que nos consumen son tan grandes y graves que nos llaman a replantear nuestra situación. La esposa de un pastor, que tuvo una terrible experiencia en su última iglesia, lo escribe así:

> Estábamos allí, teníamos un compromiso incondicional con la misión de la iglesia, pero mientras se nos iba revelando la situación «detrás de la cortina», teníamos esta constante sensación de que «tiene que haber otra manera». Finalmente, nos dimos cuenta de que esa «otra manera» no iba a ocurrir, y que *nosotros* necesitábamos irnos y hacer un cambio.

Cuarto, hay algunas actividades que podrían estar en ambos listados, lo que yo llamo «doble listado». Eso es porque, aunque algunas cosas nos recargan de una manera, pueden consumirnos en otros sentidos. Aunque socializar me recarga, también me cansa. Me encanta pasar una tarde con otras mujeres y familias, pero al tiempo que regreso a casa para preparar la cena, limpiar lo que quedó de la comida, y ponerme al corriente de mis hijos adolescentes, me siento mental y emocionalmente inútil. Es por eso que, temprano en la mañana, tengo que separar un tiempo simplemente para relajarme, o hacerlo temprano a la siguiente mañana. También tengo que regular el ritmo de mi socialización y evitar colocar una oportunidad social cada día en mi agenda. De lo contrario, pasaré mis días de verano funcionando con poco combustible y terminaré emocionalmente frágil. Así es como una amiga mía describe su experiencia del doble listado:

> Soy extrovertida. Me encanta estar con personas, invitarlas a nuestra casa y conocer nuevas personas. Sin embargo, si lo hago demasiados días en una semana, ¡estoy en problemas! Tendré un pequeño colapso al día siguiente. También necesito planificar de antemano siestas ocasionales, especialmente si será un evento de noche. Luego me tomo algunos «días de baja actividad» en los que tengo muy poca socialización.

Otro ejemplo de doble listado es el ejercicio físico; obviamente me consume en el momento, y durante aproximadamente una hora después de terminar, pero el resultado neto de ese ejercicio en mi vida es un enorme impulso de bienestar físico y mental.

Quinto, aunque me he enfocado en las cuestiones cotidianas que más me consumen y me recargan, necesitamos recordar que todas las actividades, sin importar cuán pequeñas sean, tienen un impacto sobre nosotras. Pueden ser cien cosas pequeñas que convierten nuestros tanques de energía en coladores y lentamente nos dejan secas. Es por eso que necesitamos recargarnos todos los días, no solo una vez por año en unas cortas vacaciones.

Sexto, aunque podemos intentar eliminar o minimizar algunas de las actividades que nos consumen, otras son responsabilidades importantes que son parte esencial de nuestro llamado. No podemos y no deberíamos intentar escaparnos de ellas sino más bien asegurarnos de compensarlas cuando surgen. Ninguna de nosotras debería sentirse culpable por llenar nuestro tanque de energía si es con una perspectiva de servir mejor a Dios y a otras personas.

Finalmente, yo agregaría algo esencial que nos recarga: una comprensión diaria y personal acerca del claro llamado de Dios para ti y una aceptación incondicional y alegre de esa vocación. Ya sea en el hogar o en el lugar de trabajo, considera tu llamado como diseñado por Dios especialmente para ti, con la perspectiva de maximizar tu propio crecimiento y rendimiento espiritual. Eso hará que perseveres a través de días difíciles y recargues tu tanque cuando haya pocas reservas de energía.

Ahora dejamos la estación 8, habiéndonos recargado con una buena nutrición y actividades energizantes. Hemos tapado algunos agujeros que nos estaban consumiendo, y, si nuestro agotamiento era suficientemente grave, algunas de nosotras también hemos recibido suministros urgentes de medicación. Pero el gimnasio es mucho más divertido con buena compañía, así que avancemos a la estación 9 y agreguemos algunas relaciones importantes al tratamiento.

Estación 9

Relacionarse

Cuando mis hijos corrían en un equipo de carreras de larga distancia, noté que el espíritu del equipo generaba una energía y una fuerza que les había resultado difícil conseguir al correr en soledad. Cuando yo entrenaba, sentía que podía correr mucho más lejos y sentirme menos cansada si otra persona corría conmigo. En soledad podía ser un trabajo pesado, y necesitaba mucha más fuerza de voluntad. Esa conexión humana y meta compartida hacía toda la diferencia. La ventaja de ser parte de un equipo fue poderosamente ilustrada en una película que mis hijos y yo miramos recientemente llamada *McFarlan•, USA*. Amazon la describe así:

> En la tradición de las películas deportivas de Disney aparece *McFarlan•, USA*, basada en la historia verdadera tan inspiradora de los más débiles triunfando sobre tremendos obstáculos. Esta película conmovedora muestra a corredores novatos que intentan armar un equipo de carreras de larga distancia bajo la dirección del entrenador Jim White (Kevin Costner) en su escuela secundaria predominantemente

> compuesta por latinos. Todos tienen mucho que aprender unos de otros, pero cuando el entrenador nota la excepcional aptitud que tienen esos jóvenes para correr, las cosas cambian. Más allá de su talento, lo que los transforma en campeones es el poder de la familia, el compromiso mutuo y la ética del trabajo, lo cual los ayuda a alcanzar su propio sueño americano[49].

En la película, un miembro del equipo no era para nada atlético, estaba considerablemente excedido de peso, pero con coraje, determinación, trabajo arduo y, especialmente, con un gran espíritu de equipo, aseguró la victoria para estos jóvenes. Es un modelo inspirador de cómo los cristianos podemos relacionarnos y apoyarnos unos a otros en la carrera de la vida.

Incluso en el mundo perfecto de Dios, nos necesitábamos mutuamente (Gn 2:18). ¿Cuánto más hoy con una humanidad caída en un mundo caído? Sin embargo, somos muchas las que todavía intentamos vivir mayormente vidas independientes, solitarias, desconectadas y autosuficientes. Tal como Dios lo predijo, el resultado «no es bueno».

La respuesta de Dios a esto que «no era bueno» fue el matrimonio. Sin embargo, hay otras relaciones importantes que Dios ha provisto para nuestro sostén y nuestro disfrute. Ven conmigo a la estación Relacionarse en el Gimnasio *Renueva tu vida* para hacer algunos ejercicios para desarrollar equipos en cinco áreas relacionales que son vitales: con Dios, con nuestro esposo, con nuestros hijos, con nuestros amigos y con mujeres más experimentadas. El simple hecho de mantener bien ese *orden* de prioridades marcará una gran diferencia.

---

49. https://www.amazon.com/McFarland -USA -Blu -ray -Kevin -Costner/dp /B00UMHRXYM.

Relación con Dios

Si has puesto en práctica este libro hasta este punto, deberías tener más tiempo y energía para tu relación con Dios. Y también funciona al revés. Una sana relación con Dios ayuda a incrementar el tiempo y la energía. ¿De qué manera? Bueno, pasar tiempo con Dios nos provee una perspectiva nueva y más saludable acerca de nuestra vida y nuestras prioridades. Vemos más claramente dónde están enfocados nuestros esfuerzos y lo que podemos dejar de hacer con la conciencia tranquila. Los niveles de ansiedad también disminuyen pasando tiempo en la presencia de nuestro Padre celestial, liberando energía mental y emocional para otras actividades. Recibir más de su gracia me permite vivir más al ritmo de la gracia. Entonces, ¿cómo aprovechamos al máximo este tiempo con el Señor? A continuación hay algunas prácticas que me han ayudado a lo largo de los años.

Protección del tiempo. Intento considerar mi tiempo personal de lectura de la Biblia y oración como si fuera una cita en mi agenda; no una cita con el odontólogo, sino más como con una amiga con quien me encanta estar. Me levanto media hora antes que mis hijos, tomo mi taza de té, y me encuentro con Dios antes de encontrarme con cualquier otra persona. Ese es mi ideal. Cuando estaba amamantando, a menudo tenía que leer y orar mientras amamantaba o esperar un momento más tranquilo del día.

Una mente sin distracciones. En una encuesta de ocho mil lectores, el sitio web de Desiring God encontró que el 54 por ciento de los encuestados revisaban sus teléfonos inteligentes a los pocos minutos después de despertarse. Más del 70 por ciento admitieron que revisaban su correo electrónico y redes sociales antes de sus disciplinas espirituales[50]. Estoy de acuerdo con Tony Reinke, quien

50. Tony Reinke, «Six Wrong Reasons to Check Your Phone in the Morning, and a Better Way Forward», Desiring God website, Junio 6, 2015, http://www.desiringgod.org /articles/six-wrong-reasons-to-check-your-phone-in-the-morning.

comentó: «Aquello en lo que enfoquemos primero nuestros corazones moldeará el resto de nuestro día». Es por eso que he decidido no revisar el correo, las redes sociales o las noticias antes de mi tiempo devocional, ya que quiero traer a la Palabra de Dios una mente que esté tan despejada y enfocada como sea posible.

Devociones variadas. A mí me gusta alternar entre el Antiguo Testamento y el Nuevo Testamento. Leo un libro completo, normalmente unos pocos versículos o una sección por vez. No leo grandes porciones de la Escritura, porque me gusta considerar detenidamente lo que he leído y meditar acerca de ello. A menudo voy a mis estantes de libros y tomo el comentario de Matthew Henry para añadir más perspectiva. A veces intento memorizar un versículo y repasarlo más tarde durante el día. Permíteme enfatizar que este es mi sistema personal. Tú tendrás tu propio sistema. Lo que importa es que te conectes diariamente con el Señor en su Palabra.

Podcasts y sermones. En una publicación de un blog titulado «How a Busy Mom Can Stay Consistent in the Word» [Cómo una madre ocupada puede permanecer constante en la Palabra], Courtney Reissig, autora de *The Accidental Feminist: Restoring Our Delight in God's Good Design,* describe cómo llegó a ser intencional en revitalizar su relación con Dios a través de su Palabra en una etapa difícil de su vida:

> Cuando tuve a mis mellizos no tenía un plan. Pasé unos seis meses sin leer nada de la Escritura. Vi lo que eso provocó en mi vida. Vi cuánto necesitaba la Palabra de Dios en mi vida con *regularidad*. Cuando tuve a mi siguiente bebé decidí que tendría un plan diferente. Como ya había tenido hijos, sabía que era un poco más difícil levantarme en la mañana, leer en la noche, o leer al mediodía durante la siesta. Mi plan fue escuchar *podcasts* y sermones. Lograba que la Palabra de Dios

> entrara en mí a pesar de que no podía abrir mi Biblia. Pero comencé a notar una diferencia en mi alma simplemente porque cambié mi plan y tuve diferentes expectativas acerca de mí misma. No me puede ocurrir lo mismo que me pasó la vez anterior. En definitiva, Dios es fiel. Dios es fiel cuando somos intencionales en conocerlo a través de su Palabra[51].

Buen descanso. Si quiero acercarme a la Palabra de Dios con energía y concentración, necesito tener una buena cantidad de descanso, en mi caso alrededor de ocho horas por noche. El aprovechamiento de mis devocionales en la mañana está directamente relacionado con mi tiempo de descanso.

Libros espirituales centrados en Cristo. Me encanta ver la grandeza de Cristo en libros que enseñan teología de una manera práctica. En mi caso, la clave es una enseñanza sustanciosa que engrandece a Dios. Busco autores que sean expertos en eficiencia con sus palabras y muy claros en su pensamiento y en su forma de escribir. Dadas mis limitaciones de tiempo como madre ocupada, estas son consideraciones importantes al momento de elegir un libro.

Recordatorios diarios. Con el objetivo de mantener o recuperar la comunión con Dios durante el día, establezco un vínculo entre los hábitos cotidianos y la oración o meditación. Puedo utilizar un receso para orar, o usar situaciones específicas para recordarme a mí misma y a mis hijos que Dios está siempre presente con nosotros. Una joven relató que lleva un cuaderno para registrar todas sus citas favoritas, ya sean bíblicas, teológicas o de otra clase significativa, y disfruta recordarlas y meditar acerca de ellas.

Aceptar la imperfección. Algunas de nosotras sufrimos de una tendencia al todo-o-nada en relación con nuestra vida devocional privada: si no

---

51. Courtney Reissig, «How a Busy Mom Can Stay Consistent in the Word», julio 6, 2016, https://www.crossway.org/blog/2016/07/how-a-busy-mom-can-stay-consistent-in -the-word/.

podemos darle a Dios dos horas, entonces no tiene sentido darle nada. Pero es mejor hacer un poco con regularidad que mucho de vez en cuando. Acepta que, en muchas etapas de tu vida, no serás capaz de leer el Antiguo Testamento seis veces por año. Y recuerda, estamos hablando de tu Padre celestial. No está parado allí con un cronómetro.

Relación con nuestro esposo

¿Cómo hago para resumir veintiséis años de matrimonio en dos páginas? Es imposible, ¿verdad? Sin embargo, lo que pensé es destacar las áreas que han marcado la diferencia más provechosa en mi matrimonio con David. Sin embargo, antes de que intentes implementar algo de esto, es posible que necesites sentarte con tu esposo, explicarle tu percepción acerca de la crisis, y hacer un plan para abordar la necesidad inmediata de establecer un margen en tu vida familiar. Una pareja cristiana que llegó a su límite, explicó lo siguiente:

> Una de las cosas importantes que hicimos fue sentarnos juntos como pareja. No se trataba simplemente de que ella tenía que hacer ciertas cosas; era toda nuestra estructura familiar, nuestra relación. Como familia teníamos que reestructurar todo. Teníamos que reducir la velocidad. No podíamos hacer todo lo que pensamos que éramos capaces de hacer. Ambos tuvimos que aprender eso. Necesitábamos decir que no a algunas personas. Y tenemos que reconocer que no podemos hacer lo que hacen otros. Algunas mujeres pueden hacer más, y eso es maravilloso, pero no será lo que establece el parámetro para nosotros.

Tal vez puedas pedir a tu esposo que lea el libro de David para los hombres, *Reinicia tu vida*, mientras tú lees éste. Eso lo ayudará a ver las cosas desde una perspectiva masculina, lo cual es un buen comienzo. Pero después de tener tu «reunión de emergencia», es tiempo de establecer algunas cuestiones esenciales para el largo plazo.

Mejores amigos. David es mi mejor amigo, así como mi esposo. No hay nada que consideraría no compartir con él, y entre todas mis otras amistades es la que más promuevo. De vez en cuando tenemos una cita de noche, pero somos igualmente felices disfrutando de la compañía mutua en casa. Con hijos pequeños, una de las cuales es diabética, fue difícil conseguir personas que los cuiden durante nuestros primeros años en los Estados Unidos, ya que no teníamos aquí familia extendida. Así que generalmente teníamos citas en casa. Ahora, nos es fácil salir y dejar a los hijos más grandes a cargo durante algunas horas. Es importante recordar que tener una cita con nuestro esposo se refiere a tener un tiempo habitual y exclusivo juntos más que el lugar donde vayamos. No hace falta una cena costosa; para algunas familias esa no es una opción por una cuestión económica. Una pareja que conozco no tiene citas en restaurantes, porque son una familia muy grande. Ellos ponen a los hijos a dormir temprano y cenan juntos a la luz de la vela en su propio y cálido hogar. No hay nada mejor que eso, ¡especialmente si tu marido pone a prueba sus habilidades culinarias!

Comunión espiritual. David y yo intentamos hablar diariamente acerca de lo que Dios está haciendo en nuestras vidas y lo que nos está enseñando a través de su Palabra y su obra. Lo hicimos desde el momento en que nos conocimos y hemos intentado mantenerlo como algo fundamental a lo largo de nuestros años juntos. Analizamos sermones que escuchamos e intentamos hablar diariamente acerca de lo que hemos descubierto en nuestro tiempo devocional personal.

Estudio regular. Luego de veintiséis años de matrimonio, es difícil encontrar libros acerca del matrimonio que puedan enseñarnos algo nuevo. Sin embargo, siempre necesitamos volver a aprender las enseñanzas anteriores, y por tanto leemos con regularidad libros y artículos acerca del matrimonio y los analizamos.

Roles acordados. David y yo estamos de acuerdo con la enseñanza de la Biblia acerca de los roles diferentes pero complementarios que Dios ha diseñado para esposos y esposas. Sin embargo, la manera en que esa enseñanza se pone en práctica a veces puede ser algo bastante desafiante. Por tanto, intentamos analizar con regularidad nuestros roles y responsabilidades, e intentamos resolver cualquier área de tensión aplicando en oración principios bíblicos a situaciones específicas.

Tiempo en cantidad y de calidad. Es terriblemente fácil que los esposos y las esposas se distancien progresivamente pasando demasiado poco tiempo juntos. Nos casamos con alguien a quien amamos para poder pasar más tiempo con él y al tiempo terminamos viéndolo y hablando con él con menos frecuencia que cuando éramos novios. Se requiere un esfuerzo coordinado para mantener la llama ardiendo, y simplemente no existe otra manera de hacerlo más que pasar tiempo juntos. En nuestro caso, eso generalmente implica que ambos estemos en casa al menos tres o cuatro noches por semana y pasemos una buena hora cada una de estas noches hablando juntos. Nos tomamos el mismo día libre cada semana para participar en actividades familiares. También insistimos en tomarnos todo nuestro tiempo de vacaciones y asegurarnos de que la congregación tiene a quien contactar en caso de alguna emergencia para que David no tenga que regresar.

Transparencia absoluta. No existe área en la vida de David que yo no conozca, y viceversa. No tenemos secretos entre nosotros, sino que compartimos todo, incluyendo cuentas bancarias, el historial de navegación y contraseñas de internet. No estamos siempre controlándonos mutuamente, pero saber que podemos hacerlo en cualquier momento es simplemente parte de cultivar una rendición de cuentas saludable.

Hora de dormir constante. David no necesita dormir tanto como yo, lo cual implica que él se levanta aproximadamente una hora más temprano. Sin embargo, generalmente vamos a la cama al mismo tiempo cada noche y cerramos el día orando juntos.

Muchas risas. No es sólo la ciencia y la sabiduría proverbial que nos dicen que la alegría es buena medicina (Pr 17:22). También lo hemos probado en nuestro matrimonio. Incluso cuando David tiene graves problemas en la iglesia o yo he luchado con un tema en casa o en el trabajo, uno de nosotros se esfuerza por alegrar el ambiente.

Vocabulario indispensable. Las palabras más importantes en cualquier matrimonio son: *por favor, gracias, perdón, te perdono,* y *te amo.* Intentamos usarlas con tanta frecuencia como sea posible.

Relación con nuestros hijos

Al igual que con el matrimonio, hay muchos libros excelentes acerca de la crianza en general, y de la maternidad en particular, los cuales te aliento a leer[52]. En lugar de simplemente duplicar lo que se encuentra en otro lado, a continuación he provisto un listado rápido de las lecciones que he aprendido (después de mucho ensayo y error) que más gozo han generado en mi relación con mis hijos.

El amor de Dios. Estoy llamada a representar el amor de Dios ante mis hijos. Como la representante de Dios más visible ante sus vidas, la reputación de Dios en sus mentes depende de que yo les provea una imagen fiel de Dios. Eso incluye la gracia de la aceptación amorosa, así como la gracia de la disciplina amorosa.

52. Por ejemplo, Gloria Furman, *Treasuring Christ When Your Hands Are Full: Gospel Meditations for Busy Moms* (Wheaton, IL: Crossway, 2014); Rachel Jankovic, *Loving the Little Years: Motherhood in the Trenches* (Moscow, ID: Canon Press, 2010).

Equilibrio entre trabajo y vida. Aunque la maternidad es ajetreada, tengo que ser cuidadosa para evitar que consuma todo mi tiempo. Sí, los quehaceres necesitan atención, pero no a costa de la relación con nuestros hijos. Sí, la familia necesita tener los medios económicos suficientes, pero no a expensas de nuestros hijos. Cualquiera que sea nuestro llamado, necesitamos pasar tiempo con nuestros hijos sin una agenda, tiempo que no sea solo estar allí con ellos. Significa que, si mis hijos más grandes a quienes no he visto todo el día llegan a casa y se sientan en el sofá para conversar, dejaré lo que estoy haciendo y me sentaré con ellos. Generalmente disfrutamos de un té o un café mientras conversamos acerca de su día y el mío. Estos son momentos preciosos en los cuales podemos reconectarnos, compartir y orar más unos por otros. Nuestro hogar es el centro de comunicación para nuestros hijos. Es donde ellos saben que están seguros, son amados y reciben oración. Pero para que eso ocurra, necesito estar en casa; no todo el tiempo, pero la mayor parte del tiempo.

Al considerar mi lucha contra la hiperactividad a lo largo de los años, a menudo me he preguntado qué impacto ha tenido mi ritmo excesivo sobre mis hijos. El hecho de correr de un partido de fútbol a hacer las compras en el supermercado, a la cita con el odontólogo, a preparar una cena rápida, a la reunión en la iglesia, deja poco tiempo para una verdadera comunicación. Una mala comunicación promueve malas relaciones. ¿Mis hijos llegarán a estar aun más ocupados que yo, o aprenderán que hay una manera alternativa de vivir al ritmo de la gracia? Dios ha abierto los ojos de David y los míos para que veamos que debemos vivir esa alternativa para enseñarles a ellos. Es por eso que en los últimos años hemos dado prioridad a promover nuestras relaciones familiares por sobre todas las demás relaciones humanas y a reducir nuestro ritmo de vida.

Podríamos pensar que nuestros hijos quieren más acción o más cosas, pero lo que realmente quieren es a ti y a mí. Me encanta sentarme con mis hijos adolescentes y escuchar sus alegrías y sus aflicciones. Eso hace que estemos más unidos. También promueve las preguntas y el análisis de la vida de una manera más natural de lo que cualquiera de nosotras podría obtener de un libro.

Disfruto mucho de levantar a mi hijo de cuatro años a mi regazo y abrazarlo. Me encanta escucharlo mientras habla sin parar apasionadamente acerca de su pequeño mundo, y yo simulo que todo tiene sentido. Sé que estos momentos son pasajeros, y los disfruto. Mis hijos están creciendo y pronto partirán. Quiero disfrutar y sumergirme en sus vidas mientras pueda, y oro que Dios bendiga en ellos aquello que es piadoso y esconda de ellos mis defectos pecaminosos.

Evangelio. Además de asegurarme de que mis hijos escuchen el evangelio de gracia predicado cada semana en nuestra iglesia, intento ponerlo en práctica en mi vida cotidiana. Los animo a confesar sus pecados y buscar el perdón, e intento modelar ese perdón cuando pecan contra mí. Me aseguro de que sepan que mi amor no depende de sus notas en los exámenes o sus victorias en los deportes. Les hago ver la disposición del Espíritu Santo a empoderarlos en su batalla contra la tentación.

Humildad. Cuando peco contra mis hijos, les digo que lo siento y pido que me perdonen. Los hijos saben perdonar si estamos dispuestos a admitir cuando nos hemos equivocado.

Paciencia. Mi hijo asistió al campo de entrenamiento del Cuerpo de Marines de los Estados Unidos, y en tres meses él y los demás soldados pasaron de ser adolescentes atrevidos a jóvenes respetuosos y sumisos, preparados para luchar como parte de una entidad mucho más grande que ellos mismos. Pero no debemos hacer que nuestro hogar sea como un campo de entrenamiento. Cuando nuestros hijos más grandes eran jóvenes, pensábamos que ya teníamos todo resuelto. Sin embargo, pronto descubrimos que sus naturalezas pecaminosas y las nuestras necesitaban del poder divino para bendecir nuestros esfuerzos meramente humanos. Aprendimos paciencia, y aprendimos mucho acerca del amor de Dios por nosotros. Aprendimos que criar a nuestros hijos implica una reflexión habitual diaria acerca del carácter de Dios, y que la paciencia, la perseverancia, la lentitud para enojarse y la compasión son una parte vital de esa tarea.

Tiempo. Aunque se hace más difícil cuando los hijos crecen, y especialmente cuando comienzan a trabajar y tener sus propios autos, nos esforzamos por asegurarnos de que nuestros hijos estén con nosotros para el tiempo de la cena y la adoración familiar. Con cinco hijos, no siempre es posible, pero comer y adorar juntos son cuestiones esenciales para mantener unida a la familia. Dedicamos nuestros días libres a los hijos, y David o yo casi nunca nos vamos a hacer nuestras propias cosas. En el invierno organizamos viajes familiares de esquí, y compramos un pequeño bote para hacer viajes de pesca en primavera y otoño. Hemos invertido mucho dinero en vacaciones familiares, pero nunca lamentamos ni un centavo. El retorno de la inversión en términos de una familia más fuerte es incalculable.

Clari•a•. Gracias a los libros sobre la paternidad de James Dobson y Ted Tripp, David y yo aprendimos tempranamente la importancia de establecer límites claros para nuestros hijos y también castigos claros si esos límites son traspasados[53]. Aunque parezca contradictorio, hemos descubierto que cuando somos constantes y valientes en la forma en que los criamos, la relación con nuestros hijos florece.

Como dije anteriormente, no tiene sentido intentar hacer cualquier esfuerzo en estas áreas hasta que hayas obtenido cierto

53. James Dobson, *The New Strong-Wille• Chil•* (Carol Stream, IL: Tyndale, 2004) [En español: *Cómo criar a un niño •e volunta• firme*]; James Dobson, *The New Dare to Discipline* (Carol Stream, IL: Tyndale, 2014) [En español: *Atrévete a •isciplinar*]; Tedd Tripp, *Shepher•ing a Chil•'s Heart* (Wapwallopen, PA: Shepherd's Press, 2011) [En español: *Cómo pastorear el corazón •e tu hijo*].

margen implementando las estaciones anteriores del Gimnasio Renueva tu vida. De lo contrario, esto será simplemente otra demanda abrumadora e imposible. Sin embargo, he descubierto que cuando he creado cierto margen en mi vida, la maternidad se vuelve algo que me llena el corazón de alegría más que algo que consume terriblemente mi energía.

Relación con nuestras amigas

Las mujeres en general son mejores que los hombres para cultivar amistades significativas. Parece que lo necesitáramos más y tendemos a ser buenas en eso. Pero a algunas mujeres les cuesta hacer y mantener amistades.

A veces es simplemente porque estamos demasiado ocupadas. No nos tomamos el tiempo para desarrollar amistades verdaderas que nos generen satisfacción. Siempre tenemos la intención, pero nunca nos hacemos el tiempo para lograrlo. Otras actividades y responsabilidades continúan empujando esta idea hacia abajo en el listado de prioridades. Si somos sinceras, tal vez la raíz de esto sea el orgullo, nuestro sentido de autosuficiencia que ignora y niega nuestra necesidad de los demás. Tal vez también tenemos miedo de que las personas nos lleguen a conocer demasiado bien y descubran nuestras faltas y debilidades. O podemos llegar a conocer las faltas y debilidades de las demás, y no queremos añadir otra persona necesitada a nuestra vida. Nuestra reticencia puede estar arraigada en el temor: «Si me hago amiga de Juana, ¿qué pensará Jennifer? ¿Y Elena?». Etcétera. O es posible que la cantidad de quienes necesitan amigas, por encima de aquellas con quienes quieres ser amiga, sean tantas que te sientes paralizada: «Si no puedo ser amiga de todas (y no puedo), ¿qué sentido tiene siquiera comenzar?».

Amistades bíblicas

Entonces, ¿cómo vencemos estos obstáculos y comenzamos a promover amistades edificantes? Debemos comenzar en oración. Muy a menudo, no tenemos porque no pedimos (Santiago 4:2). Ora que el Señor te muestre tu necesidad de amigas y que te guíe a las amigas correctas. Ora para tener el tiempo, la energía y el entusiasmo para buscar amistades. Ora que toda amistad sea beneficiosa para ambas partes, de manera que cada persona reciba satisfacción y el beneficio no sea solo de un lado.

¿Por qué no estudiar el tema para ayudarte a entender la enseñanza bíblica acerca de la amistad? Si lo haces, descubrirás que la amistad está en el corazón de Dios ya que cada una de las tres personas de la Trinidad se relaciona íntimamente con las otras. Mientras estuvo en esta tierra, Jesús fue conocido como amigo de pecadores en general, pero también cultivó amistades especiales de creciente intensidad con doce hombres, luego tres hombres y finalmente un amigo muy especial. Cuanto más estudiemos las amistades de Cristo motivadas y conservadas por gracia, más imitaremos su sabiduría, paciencia, amabilidad y perdón en nuestras amistades.

Yo recomendaría estos tres libros: *The Company We Keep: In Search of Biblical Frien•ships* de Jonathan Holmes; *Messy Beautiful Frien•ship: Fin•ing an• Nurturing Deep an• Lasting Relationships* de Christine Hoover; y *The Frien•ship Factor: How to Get Closer to the People You Care For* de Alan McGinnis[54]. Este último insiste en que a menos que hacer amistades saludables sea una prioridad manifiesta, no lo lograremos. Una mujer soltera me dijo que esto es especialmente importante para mujeres como ella: «No tenemos un marido que se dé

54. Jonathan Holmes, *The Company We Keep: In Search of Biblical Frien•ship* (Hudson, OH: Cruciform Press, 2014); Christine Hoover, *Messy Beautiful Frien•ship: Fin•ing an• Nurturing Deep an• Lasting Relationships* (Grand Rapids, MI: Baker Books, 2017); Alan McGinnis, *The Frien•ship Factor: How to Get Closer to the People You Care For* (Minneapolis: Fortress Press, 2003).

cuenta y nos advierta cuando estamos al límite. Casi nadie se da cuenta cuán cerca estoy del agotamiento y la extrema presión con la que a veces me cargo a mí misma para estar a la altura de los estándares percibidos de la voluntad de Dios y las exigencias de la gente».

Ahora, tal vez estés diciendo: «Sé que debería priorizar las amistades, pero ya estoy exprimida. ¿Cómo puedo añadir otra tarea a mi vida?». Esa es la manera equivocada de mirarlo porque las buenas amistades no nos cansan; nos renuevan. Las amistades reducen la depresión y mejoran nuestro sistema inmune[55]. Investigadores de Harvard encontraron una fuerte conexión entre el éxito y la cantidad de amor disfrutado en la vida[56]. El psicoterapeuta Alan McGinnis dijo que, si las personas usaran el poder restaurador de la amistad, ¡los terapeutas se quedarían sin trabajo![57]. A la inversa, la soledad ha sido vinculada con un elevado riesgo de cardiopatías, derrame cerebral, cáncer y una menor expectativa de vida[58].

La amistad incluye comidas, hacer deportes, ayudar con problemas concretos, compartir alegrías y tristezas familiares, e interesarse por el trabajo del otro. Pero lo central en las mejores amistades es el crecimiento espiritual. Cada amiga piensa en cómo ayudar a la otra a poder crecer espiritualmente. Se hacen preguntas como éstas: «¿Cómo puedo orar por ti? ¿Con qué tentación estás luchando? ¿Qué has estado aprendiendo en tu Biblia? ¿Qué buenos libros has estado leyendo?». He compartido algunas horas maravillosas con una amiga que tiene un interés similar en el tipo de libros que yo leo. Nos hemos animado espiritualmente entre las dos, y ella me ha compartido grandes enseñanzas sobre la crianza de

---

55. Matthew Edlund, *The Power of Rest: Why Sleep Alone Is Not Enough*, (Nueva York: HarperCollins, 2010), edición Kindle, loc. 2275.
56. *Ibíd.*, 18–19.
57. McGinnis, *The Friendship Factor*, 95.
58. *Ibíd.*, 8–9.

los hijos, ya que algunos de sus hijos son un poco mayores que los míos. Como nuestros esposos son pastores, también compartimos aspectos de ese llamado en nuestra vida.

Una amiga más joven, Emilia, me dijo: «No existe nada que disfrute más que tener una buena conversación larga y tendida con un hermano y una hermana en Cristo, ya sean mis padres, mi hermana, mis amigas, mis pastores, mi mentora, ¡quien sea! Me encanta hablar acerca de la Palabra de Dios y su iglesia, y me siento muy renovada al marcharme luego de una conversación provechosa y sustancial».

También necesitamos reconocer la naturaleza cambiante de las amistades, ya que nuestras expectativas pueden estar arraigadas en una época y una cultura diferentes. Emily Lanagan, profesora de comunicaciones en la Universidad Wheaton, ha notado que, debido a una sociedad más fragmentada y más móvil, y también debido al creciente involucramiento de los padres en los deportes escolares, las amistades ahora tienen una expectativa de vida promedio entre cinco y ocho años. En el pasado era probablemente más cercana a treinta años[59]. Cuando le preguntaron acerca de su experiencia con la dificultad en las amistades entre personas casadas y solteras, su respuesta destacó la injusta unilateralidad que a veces puede deteriorar tales amistades:

> Al crecer y tener más amigas cuyos hijos están saliendo de su infancia y entrando en la adolescencia, simplemente no tienen la flexibilidad que requiere la amistad. Es difícil. A las personas solteras se nos suele pedir que seamos flexibles porque se presume que tenemos flexibilidad. «Yo tengo estas

59. Liuan Huska, «How to Keep Your Friends When Life Happens», *Christianity To•ay*, junio 2016, http://www.christianitytoday.com/women/ 2016/june/how-to-keep -your-friends-when-life-happens.html.

> demandas, así que ¿puedes acomodarte a mí?». En mi caso, me ha resultado más gratificante y más fácil hacer amigas con personas solteras mayores que con personas de mi edad que están casadas. Cuando siempre eres tú la que da el brazo a torcer, en algún momento dices: «Se acabó»[60].

La amistad en realidad es bastante simple y no debería ser desmedidamente complicada. William Rawlins, profesor de comunicación interpersonal en la cátedra Stocker de la Universidad de Ohio, señaló que sin importar si alguien tiene solo catorce o tiene cien años, las expectativas de un amigo cercano son las mismas: «Alguien con quien hablar, alguien de quien depender, y alguien para disfrutar. Estas expectativas permanecen igual, pero cambian las circunstancias bajo las cuales esas expectativas se cumplen»[61]. Para darte ánimo, recuerda las palabras del hombre sabio que dijo: «Más valen dos que uno» (Ec 4:9), y recuerda que ayudarnos unos a otros a llevar nuestras cargas hace que cumplamos la ley de Cristo (Gá 6:2).

Relación con mujeres más experimentadas

Cultivar relaciones con mujeres más experimentadas en la iglesia es algo que me ha resultado enormemente renovador y espiritualmente edificante. Ningún conocimiento cerebral, libros ni salas de chat pueden sustituir la experiencia de vida, el consuelo y la comprensión que una mujer cristiana madura puede ofrecer a las mujeres más jóvenes. La Escritura alienta enfáticamente tales amistades (Tito 2:3-5). A veces he ido a visitar a una mujer cristiana mayor con mi corazón cargado de ansiedades y he salido renovada y reorientada.

---

60. *Ibíd*.
61. Julie Beck, «How Friendships Change in Adulthood», *The Atlantic*, octubre 22, 2015, https://www.theatlantic.com/health/archive/2015/10/how-friendships-change-over -time-in-adulthood/411466/.

La edad trae perspectiva, y una nueva perspectiva espiritual puede levantarte y ponerte en marcha nuevamente.

Hablando de ponerse en marcha nuevamente, luego de todas estas estaciones de ejercicios, ¿no estamos comenzando a sentirnos renovadas y con más energía, especialmente con un nuevo equipo de apoyo de relaciones que fortalecen el alma? Entonces regresemos a la pista y retomemos la carrera de la vida, esta vez al ritmo de la gracia en vez de correr a toda velocidad.

Estación 10

Resucitar

Mientras escribo, acaba de pasar el fin de semana de Pascua, y muchos cristianos han reflexionado profundamente acerca de la resurrección de Jesucristo. También ha sido un tiempo de reflexión acerca de mi propia «mini resurrección» de las profundidades del agotamiento y la depresión, y acerca del anticipo que me ha concedido de mi resurrección final y definitiva.

Todavía tengo malos recuerdos del pasado. Estaba convencida de que nunca más disfrutaría del gozo en Cristo. La oscuridad y la desesperación envolvían mi mente y mi alma, y toda esperanza de gozo y luz hacia el futuro parecía imposible. Recuerdo un día oscuro de invierno en Escocia, en que el océano bramaba, arrojando incesantes montañas de sombrías olas de terror hacia las rocas y las costas, cuando las negras nubes escondían de la vista todo resplandor brillante de la naturaleza, y mi mente y mi alma respiraban esa misma atmósfera de mal agüero. Una atmósfera negra, lúgubre, sin esperanza. Pero luego recordé días previos de verano, días refrescantes, cuando el mismo océano y el mismo cielo brillaban con luz y belleza, y la naturaleza resonaba con color y un sonido hermoso al inhalar su energía desde el sol. Yo pensaba: «Si Dios puede cambiar semejante oscuridad en semejante brillo, entonces ciertamente puede hacer lo mismo en mí. Si Dios puede resucitar el panorama mortecino de invierno y tornarlo un vivo abanico de verde pasto y hermosas flores, puede hacerlo por mí. Si Dios puede tomar árboles que parecen muertos y transformarlos en un manto impresionante de vida verde, entonces ciertamente puede hacerlo por mí».

¡Y lo hizo! La oscuridad y la desesperación al fin dieron lugar a una nueva esperanza y una nueva alegría. Así como el salmista en el Salmo 107, mi tempestad ciertamente fue cambiada en una suave brisa por mandato de Dios. Dios usó ciertos medios: me trajo al Gimnasio *Renueva tu vi• a,* me enseñó muchas lecciones, y me mostró una nueva forma de vida. Aunque permanecen recuerdos dolorosos, están perdiendo intensidad, y la resurrección definitiva eliminará el dolor para siempre. Tú también puedes experimentar ese mismo anticipo de la resurrección a través de la bendición de Dios en tu camino a través del Gimnasio *Renueva tu vi• a.*

Un nuevo ritmo

El versículo a la salida del gimnasio dice: «¿No saben que en una carrera todos los corredores compiten, pero solo uno obtiene el premio? Corran, pues, de tal modo que lo obtengan» (1Co 9:24). El apóstol aquí enseña que hay un ritmo al correr que nos llevará a obtener el premio, y un ritmo que no. Un ritmo de carrera de cien metros no logrará ganar una carrera de larga distancia, aunque eso es lo que muchas de nosotras intentamos (y fracasamos en ello). Intentamos correr tan rápido como podamos e incluso intentamos correr también la carrera de los demás. ¡Qué terrible cautiverio! Ahora, habiendo pasado por el Gimnasio Renueva tu vida, muchas hemos aprendido que debemos seguir el plan de carrera diseñado por Dios, una carrera mucho más intencional, al ritmo de la gracia, si es que queremos terminar bien.

Habrá tiempos cuando tendremos que correr más rápido y esforzarnos más, pero estos tiempos serán menos frecuentes si recordamos la distancia que todavía falta por recorrer. Estas ráfagas de hiperactividad y estrés serán intercaladas más frecuentemente con renovadoras estrategias de recuperación, de manera que será mucho menos probable que colapsemos y nos agotemos como antes. Las demandas ocasionales, repentinas e inmediatas de nuestra energía no nos cansarán como antes, porque habremos dejado margen en nuestra vida.

Una nueva conciencia

Inicialmente, podemos esperar cierta dificultad al reducir nuestra velocidad. Puede resultarnos difícil porque, en comparación con nuestra vida anterior a este gimnasio, podemos sentirnos perezosas al correr más despacio, o podemos sentirnos culpables reduciendo otros compromisos y tomando recesos para renovar nuestra energía. Cuando esa falsa culpa se nos trepa por la espalda, se queda en el hombro, y nos susurra «más rápido» en el oído, educamos nuestra conciencia con el conocimiento y el entendimiento bíblicos obtenidos en el Gimnasio *Renueva tu vi• a.*

Si siempre hemos corrido rápido, nuestros primeros intentos de reducir el ritmo nos pueden resultar difíciles. Satanás quiere que creamos que vivir a un ritmo frenético es algo piadoso y que vivir al ritmo de la gracia no lo es. Puede incluso citar las Escrituras en el proceso: «¡Anda, perezoso, fíjate en la hormiga!» (Pr 6:6). A menudo mi conciencia ha luchado con esto, y me he sentido empujada a servir más, servir más rápidamente, servir a todos los demás.

Pero Dios me ha enseñado que la vida al ritmo de la gracia no es sólo su voluntad, sino que también lo honra más. Para mí, regular mi ritmo implica menos de mis esfuerzos y más de la gracia de Dios. He tenido que aprender a luchar contra la culpa falsa y las expectativas personales, que no son bíblicas. He aprendido a consultar a Dios en vez de preguntar a las personas: «¿Qué quiere Dios que haga ahora?».

La clave es comprender que regular nuestra velocidad es algo bíblico, mientras que vivir rápida y frenéticamente no lo es. Creerlo y ponerlo en práctica requiere fe. Vivirlo es en realidad morir a una misma; morir a nuestra propia voluntad, a nuestra autosuficiencia y a nuestra imagen propia. ¿Habías entendido anteriormente la vida frenética versus la vida al ritmo de la gracia de esta manera?

María, la madre de Jesús, parecía estar apurada para que Jesús comenzara su ministerio cuando le presentó el dilema en las bodas de Caná de Galilea, pero Jesús le mostró que él no estaba tan apurado. Él siempre esperaba la voluntad, el tiempo y el ritmo de su Padre (Juan 2:3-4). ¿Cuánto más debemos nosotros esperar en la voluntad, el tiempo y el ritmo de nuestro Padre celestial en todas las áreas de nuestra vida?

Una nueva honestidad

Es difícil y humillante tener que reconocer la debilidad. Puede provocarnos ansiedad confesarles a nuestro esposo, nuestros hijos, amigos, colegas o nuestro entrenador, que hemos decidido vivir una vida mucho más intencional al ritmo de la gracia. Después de todo, ¿quién no quiere ponerse en marcha y terminar cosas? ¿Cómo me veré? ¿Pensarán que soy perezosa?

Sin embargo, he descubierto que el simple hecho de ser honesta y admitir mi debilidad y mis limitaciones a menudo ha sido un alivio. A veces también ha sido un alivio para los demás. Algunas personas nunca comprenderán por qué no estamos corriendo de aquí para allá respondiendo a todo pedido como solíamos hacer. Sin embargo, me ha asombrado la gran cantidad de mujeres que se abren con honestidad acerca de su propia debilidad y su propio cansancio después de mi confesión. Ellas también han tomado decisiones que cambian la vida, las cuales les ha permitido llevar una vida más reconfortante, al ritmo de la gracia.

Una nueva energía

Desearía tener la energía y la resistencia que tenía hace treinta años, pero he tenido que aceptar los efectos limitantes del paso de la edad y la crianza de cinco hijos, y aprender cómo administrar mi energía con mayor sabiduría. Así como un juguete de batería se descarga si lo dejamos encendido, nuestra energía se agotará bastante rápidamente. Si somos cuidadosas de apagarlo de vez en cuando, durará más.

A menudo me he encontrado teniendo que decidir entre muchas actividades y eventos provechosos en una misma semana. Todo bien, pero no todo bien para *mí*. Anteriormente, hubiera intentado hacerlo todo, pero el Gimnasio *Renueva tu vi•a* me ha enseñado a tomar decisiones difíciles. Así como un atleta debe escoger una cantidad limitada de carreras en las cuales correr, nosotras debemos escoger nuestras carreras, espaciarlas y permitirnos un tiempo de recuperación. De esa manera, corremos con mayor vigor y propósito en vez de correr con letargo y piernas de plomo. Nuestra meta es destacarnos en algunas pocas áreas en vez de fracasar en muchas.

El hecho de prestar atención al descanso y la recarga de combustible, tanto física como espiritualmente, nos ayuda a evitar los extremos de gasto de energía seguidos del agotamiento. Aprendemos a relajarnos sin una falsa culpa; aprendemos a considerar el descanso, el ejercicio y la alimentación habitual saludable como dones de Dios;

y aprendemos a aceptar la ayuda de otros con humildad cuando la necesitamos.

Una nueva alegría

Muchas mujeres que he conocido y he aconsejado no podían recordar la última vez que habían sentido alegría por vivir o servir. Su compañía diaria había sido el temor, la ansiedad, el pavor y la desesperación. Contemplaban todo lo que faltaba de la carrera y temían no poder terminarla. Pensar en el próximo día, la próxima comida, el próximo cliente, y el próximo correo por responder resultaba ser una montaña terrible para escalar. No más risas, no más alegría. Pero Dios proveyó un camino de regreso a la alegría a través del gimnasio *Renueva tu vi•a.* La esperanza se iba renovando al avanzar por cada estación. El temor era reemplazado con la calma. La luz irrumpió en la mente, el cuerpo y el alma. La parálisis fue reemplazada con un propósito y un nuevo sentido de llamado. Los problemas se convirtieron en oportunidades. Los momentos de reflexión se volvieron momentos de adoración. Un disfrute renovado de la lectura de la Biblia y la oración reconstruyó la esperanza de la plenitud de alegría en el futuro.

Una nueva teología

Al contemplar hacia atrás mi vida y las conversaciones con otras mujeres en sus luchas, un denominador común ha sido evidente: una teología equivocada. Sí, creíamos que Dios nos amaba y nos salvaba solo por gracia, y que no podríamos conseguir nosotras mismas el favor ante Dios. Pero a veces caíamos en el falso pensamiento de que Dios es más un traficante de esclavos que nuestro amoroso Padre celestial, que se deleita en ver que sus hijos prosperan.

Tal vez también veíamos el descanso en Cristo como una acción puramente espiritual, sin ninguna conexión con el descanso físico o el tiempo libre. Pero cuando obedecemos las instrucciones de nuestro Creador para el cuidado del templo, tendremos tiempos libres e iremos a la cama a tiempo, aun cuando haya un listado de tareas pendientes. Cuando lo hacemos por estas razones, no sólo estamos descansando físicamente, sino que también estamos descansando en Cristo. Estamos reconociendo y aceptando nuestras limitaciones como criaturas. A diferencia de lo que podamos pensar, Dios no se desilusiona de que no completemos nuestro listado. Más bien Dios recibe la honra porque le confiamos a él lo que no pudimos terminar. Descansamos más en él y dependemos menos de nosotras mismas y de nuestras aptitudes.

Tal vez nuestra hiperactividad también era promovida por una creencia incorrecta en que, si no terminamos agotadas por el reino, no ofrecimos un verdadero servicio. Las historias de martirio y de misioneros y sus esposas que murieron en las circunstancias humanas más desesperantes han sido erróneamente entendidas como el estándar de oro del servicio cristiano. Pero como hemos visto, el llamado de Dios a cada una de nosotras es único, y Dios se deleita grandemente en nosotras cuando le servimos de esa manera. Dios recibe toda la honra cuando trabajamos en la oficina, en la escuela o en la casa haciendo las tareas más insignificantes por amor a él (Col 3:23). Dios no requiere que terminemos agotadas. Se regocija al vernos cuidar bíblicamente el templo corporal que nos ha obsequiado y se deleita cuando vivimos cada día siendo conscientes de nuestra debilidad y en total dependencia de su gracia renovadora.

Un nuevo equipo

Al salir del Gimnasio *Renueva tu vi•a,* uno de nuestros versículos paulinos favoritos es: «Yo sembré, Apolos regó, pero Dios ha dado el crecimiento» (1Co 3:6). Anteriormente corríamos la carrera de la vida como si todo dependiera de nosotras. Ahora reconocemos que necesitamos correr como parte de un equipo. Necesitamos el apoyo y el aliento de otras personas. Necesitamos ser más vulnerables, admitir nuestras limitaciones, y pedir ayuda. Al hacerlo, abrimos puertas de oportunidad para que otras personas sirvan al Señor al acercarse a nosotras, profundizando relaciones y desarrollando amistades en el proceso. David y yo definitivamente podemos identificarnos con lo que Greg y Jeni descubrieron después de la depresión:

> Todo este camino por el que hemos transitado ha sido algo muy fortalecedor para nuestro matrimonio. Hemos sido más abiertos mutuamente, expresamos más nuestros sentimientos, y él no tiene miedo de abrirse conmigo, porque antes tenía miedo de cómo yo reaccionaría. Realmente ha fortalecido nuestro matrimonio el hecho de que podemos ser más honestos el uno con el otro cuando necesitamos un descanso, o los días en que no me siento bien. Dependemos mucho más el uno del otro, buscamos ayudarnos más mutuamente, y buscamos más a Dios juntos.

Una nueva sensibilidad

El Gimnasio *Renueva tu vida* nos ha hecho más conscientes de nuestros ritmos biológicamente incorporados. Hemos reconocido los altibajos cotidianos de energía, y el impacto del descanso, la comida, los amigos, el trabajo y el juego sobre nuestro cuerpo, nuestra mente y nuestra alma. Sentimos más rápidamente el desgaste emocional. Captamos la realidad del cansancio del alma cuando hemos esforzado o consentido demasiado nuestro cuerpo, cuando nos hemos quedado despiertos hasta tarde durante muchas noches o hemos trabajado demasiadas horas. En vez de ignorar las señales de advertencia, las tomamos en cuenta, recibimos al Dios de amor que está detrás de ellas y hacemos los ajustes necesarios. Cuando la Palabra parece seca y la concentración escurridiza, revisamos nuestro listado de parámetros de Dios para el cuidado del templo y hacemos los ajustes necesarios.

No sólo somos más sensibles a nuestras propias señales de advertencia espirituales, emocionales y físicas; también somos más sensibles a las advertencias de los demás. Ahora notamos el rostro pálido y triste de una joven madre que ha perdido su chispa, un estudiante que se aleja de todos sus amigos de la iglesia, o el carácter explosivo de un colega que antes era más paciente. Nos hemos vuelto mucho más compasivos con la fragilidad de la humanidad en todas sus complejidades.

Nuevos recursos

Cuando una gran roca traspasa el hielo, una nueva capa de hielo comienza a formarse después de algunos días. Inicialmente ese hielo es muy delgado y frágil, de manera que, si intentas pararte sobre él demasiado pronto, lo quebrarás. Eso es lo que yo hice cuando comencé a sentirme más fuerte. Regresé al ritmo que llevaba antes de la depresión, cuando de repente me encontré nuevamente en las aguas frías y congeladas que pensaba que había dejado atrás. Al principio entré en pánico, pero después recordé el Gimnasio *Renueva tu vi•a* y todos los recursos que adquirí allí. Regresé a las varias estaciones y comencé a reconstruir el «hielo» utilizando los varios ejercicios. Ahora sé qué hacer cuando siento que el hielo está crujiendo, y también soy más cuidadosa para no forzar el nuevo hielo demasiado pronto.

Un nuevo plan de servicios

Cuando hago ejercicio, bebo sorbos de agua con frecuencia, aunque no sienta sed. Si olvido hacerlo, paso el resto de la noche en el grifo de la cocina luchando con una sed furiosa. Es mucho mejor contrarrestar mi ejercicio con toda el agua que sea necesaria en el momento para evitar la deshidratación. Es por eso que debemos regresar con frecuencia al Gimnasio *Renueva tu vi•a* aun cuando no nos sintamos abrumadas. Al principio, deberíamos hacerlo todas las semanas; después, estando ya más fuertes, podemos regresar una vez por mes, y definitivamente cuando veamos el primer síntoma de problemas. Sería bueno verificar con regularidad nuestro ritmo antes de que ese sentimiento abrumador comience a echar su desagradable sombra.

Nuevas lentes

Al mirar hacia adelante, el futuro que parecía tan sombrío y deprimente ahora se ve mucho más claro y más radiante porque tenemos un nuevo enfoque y nuevas *lentes*. Habiendo clarificado nuestro propósito y plan ahora estamos enfocados en unas pocas prioridades en vez de múltiples metas. Sabemos por qué estamos corriendo, hacia dónde nos dirigimos, y cómo llegaremos allí. Nos mantenemos enfocados en estos propósitos de la vida para mantenernos en carrera.

El Gimnasio *Renueva tu vi•a* también nos ha enseñado a usar la Palabra de Dios como una lente al leer la investigación científica que Dios ha permitido que los científicos descubran. Utilizamos las lentes de nuestro conocimiento bíblico para filtrar toda investigación que contradiga la Palabra de Dios y así incorporar la verdad de Dios donde sea que la haya depositado[62]. Entonces, la Biblia no es sólo lo

62. Fue Juan Calvino el primero que usó la ilustración de las lentes para explicar esto. Dijo que la Biblia no es solo aquello que leemos, sino aquello con lo cual leemos. Juan Calvino, *Institución •e la religion cristiana*, 1.6.1.

que leemos, sino aquello con lo cual leemos, y es una lente tan buena que es suficiente para evitar que caigamos en el error en esta área.

Nueva vigilancia

¡La vida es corta! Esta no es simplemente una frase trillada sino una realidad creciente para todas nosotras. Cuando tenía más o menos nueve años, quedé impresionada por esto cuando se ahogaron dos amigas de la escuela. Pero, aun entonces, el tiempo parecía ser una vasta expansión delante de mí. Ahora reconozco que cada día es un regalo excepcional y precioso. Lo que decido hacer con mi tiempo hoy es muy importante; puedo no tenerlo mañana. Esto significa que tengo que detectar cuidadosamente lo que es importante hoy y especialmente para la eternidad. Eso resulta muy útil para enfocar mi mente en las cosas esenciales y deshacerme de las no esenciales.

Una nueva paciencia

Vivimos en una sociedad de soluciones rápidas que exige resultados instantáneos. Si aprendimos algo en el Gimnasio *Renueva tu vida* es que no hay soluciones rápidas para la depresión, el estrés o la ansiedad. Sí, utilizamos las estaciones que Dios ha provisto y somos responsables en lo que podemos hacer, pero llegamos a darnos cuenta de que se necesita tiempo para que todos esos medios se asienten y sean efectivos. Así es como Dios nos enseña la paciencia. Mi recuperación física y emocional fue más rápida que mi recuperación espiritual, especialmente en el área de la seguridad, lo cual a veces me frustraba. Fue durante ese tiempo que realmente comprendí la soberanía de Dios y pacientemente me rendí a la sabiduría de sus tiempos.

Un nuevo equilibrio

Intenta imaginar tu vida como un presupuesto financiero semanal.

Al comienzo de la semana, cada columna está al límite de su capacidad con la cantidad designada de dinero. Al avanzar la semana, tomamos decisiones de gastos que hacen bajar cada columna. Si gastamos de más en la columna de la comida, debemos reducir nuestra capacidad de gasto en otra columna. Si continuamos gastando e ignoramos la importancia de cada columna, terminaremos endeudados y en problemas económicos. Establecer correctamente nuestro presupuesto e implementarlo es clave para un buen resultado y para tener «paz financiera» semanal, como lo expresa Dave Ramsey.

El Gimnasio *Renueva tu vi•a* nos desafía a nivelar las diferentes columnas en nuestra vida: tiempo devocional, tiempo laboral, tiempo familiar, tiempo eclesial, tiempo de ejercicio, tiempo con la tecnología, tiempo de relax, etcétera. El desafío es ser realista acerca de nuestros objetivos en estas áreas, asegurarnos de que mantenemos un equilibrio saludable, y luego sujetarnos al plan.

Nuevos hábitos

Cuando inmigramos aquí, tenía treinta días para obtener mi licencia de conducir en Michigan. ¿Puedes imaginar mi horror cuando David trajo a casa nuestro nuevo vehículo y el asiento del conductor estaba en el lado «incorrecto»? Fue peor cuando tuve que tomar el volante y comenzar a conducir por el lado «incorrecto» de la calle. En vez de una palanca de cambio manual, el auto era de cambios automáticos, y la camioneta misma era una bestia comparada con cualquier cosa que yo había manejado anteriormente. Me enfrenté con dos opciones: obtener la licencia o quedarme en la casa con cuatro hijos todos los días. Con eso en mente, proseguí. Mi pie izquierdo, que había sido tan importante para manejar un vehículo con cambios manuales, estaba totalmente confundido con lo que tenía que hacer. No podía dejarlo allí haciendo nada. Y lo peor de todo, en mi primer paseo sola doblé por el lugar incorrecto y terminé enfrentando dos carriles de tránsito en sentido opuesto. Sobreviví por misericordia y, mediante la necesidad y la práctica, todo llegó a ser automático; tanto que la siguiente vez que regresé a Escocia, necesité un esfuerzo consciente para volver a mis hábitos antiguos, conduciendo en el lado «correcto» del camino. ¡No podía encontrar mi pie izquierdo!

Poner en práctica nuestro recientemente descubierto estilo de vida al ritmo de la gracia puede resultar extraño al principio e incluso desalentador. Sin embargo, una vez que comprendemos que es algo esencial si queremos perseverar en esta carrera, y lo ponemos en práctica, aprenderemos a aceptar y amar nuestra nueva manera de vivir. Si creemos en Cristo, también tenemos la motivación poderosa de la ayuda del Espíritu Santo en el camino.

Una nueva humildad

Aceptar nuestras limitaciones y debilidades requiere humildad, y más aún admitirlas ante otros y buscar ayuda. Hace poco, una de mis amigas salió de un ataque de ansiedad difícil y largo. Aunque había reunido algunas herramientas para lidiar con la ansiedad a lo largo de los años, este ataque agotó rápidamente esas herramientas, y finalmente buscó consejería. Ella me escribió lo siguiente: «Estoy agradecida por la apertura de mi iglesia acerca de la salud mental y la consejería, porque, aunque hubo momentos en el pasado cuando probablemente *debería* haber buscado ayuda externa, esta es la primera vez que lo hice». Elizabeth Moyer describe el aleccionador alivio de aprender a sustituir la independencia por la dependencia:

> Las etapas más estresantes de mi vida llegan a su punto culminante cuando reconozco que no puedo hacerlo todo. Esos momentos me hacen recordar mi finitud y falibilidad

> humana. En vez de perder mi aliento con la ansiedad, debería ser capaz de respirar profundo con alivio. No puedo hacerlo todo, pero no necesito hacerlo. No soy suficiente, pero Cristo sí lo es. Si el Creador del universo me ama lo suficiente como para morir y quitar todo mi desagradable pecado, entonces se preocupa por las presiones de la vida que me sobrecargan cada día[63].

Cuando observamos el piso del Gimnasio *Renueva tu vi•a,* vemos una pila de cargas que hemos dejado en el camino: la independencia, la autosuficiencia, la confianza en una misma, y el ser imprescindibles e invencibles.

Una nueva gracia

El Gimnasio *Renueva tu vi•a* destruye los indicadores de rendimiento y abre nuestro corazón para recibir más de la gracia renovadora de Dios. Recibimos más gracia negándonos a transformar este libro acerca de una vida al ritmo de la gracia en un nuevo conjunto de obligaciones, cargas y deberes. Sí, hay muchas sugerencias prácticas en este libro, pero no transformes el cuidado personal en más daño personal. No transformes lo que debería liberarte de la esclavitud en otra prisión legalista. Avanza despacio, gradualmente, llena de gracia. Recuerda estas palabras liberadoras de Jesús: «Ella hizo lo que pudo» (Mc 14:8). Como explica Allan Mallinger en su libro *Too Perfect: When Being in Control Gets Out of Control,* hay una diferencia importante entre el perfeccionismo (todo debe ser perfecto) y la excelencia (la voluntad saludable de superarse). Tomando como base la distinción de Mallinger, podemos distinguir entre ambos términos de las siguientes maneras:

---

63. Elizabeth Moyer, «What Is a Biblical Response to Stress?», Institute for Faith, Work, and Economics, marzo 16, 2016, https://tifwe.org/a-biblical-response-to-stress/.

- El perfeccionismo es rígido; la excelencia es flexible.
- El perfeccionismo es autodestructivo; la excelencia produce salud.
- El perfeccionismo nunca satisface; la excelencia produce placer.
- El perfeccionismo es imposible; el deseo de superarse generalmente es posible.
- El perfeccionismo no distingue entre realizar una cirugía del corazón y lavar la vajilla; la excelencia reconoce que algunas actividades requieren más atención que otras.
- El perfeccionismo considera el fracaso como algo catastrófico; la excelencia lo considera parte del aprendizaje.
- El sentido de identidad del perfeccionista depende de un rendimiento perfecto; la excelencia no vincula la identidad con el rendimiento.
- Un perfeccionista sólo puede ver lo que falta en un trabajo o una relación; la excelencia ve lo que es bueno y agradable.

Como lo expresa Jerry Bridges:

> Vivir por gracia y no por obras significa que eres libre de la máquina de rendimiento. Significa que Dios ya te ha aprobado cuando merecías reprobar. Ya te ha pagado por todo un día de trabajo, aunque tal vez hayas trabajado una sola hora. Significa que no necesitas llevar a cabo ciertas disciplinas espirituales para ganar la aprobación de Dios. Jesucristo ya lo ha hecho por ti. Eres amado y aceptado por Dios mediante el mérito de Jesús, y eres bendecido por Dios mediante el mérito de Jesús. Nada de lo que hagas logrará que te ame más ni hará que te ame menos. Te ama

absolutamente por la gracia que te ha concedido a través de Jesús[64].

No solo *recibimos* más gracia; *conce•emos* más gracia. Conscientes de nuestras debilidades y fragilidades, extendemos más gracia hacia quienes están fracasando y cayendo.

Un nuevo rendimiento

La mayoría de las mujeres, incluida yo, sabemos que necesitamos hacer cambios, pero tememos reducir el la productividad. Permíteme llevarte al jardín para calmar tus temores. Los que cultivan vegetales saben que es importante mantener pequeñas las hojas jóvenes para que aquello que dejas en la tierra tenga espacio para madurar y llegar a ser vegetales sabrosos, de buena calidad y nutritivos, adecuados para la mesa de la cocina. Nunca te sentarías a la mesa lamentando los pequeños brotes que tuviste que remover para producir semejante cosecha. Apliquemos ese mismo principio a nuestra productividad diaria. La mayoría de las mujeres con quienes he hablado han descubierto que, en vez de lograr menos, han logrado más, especialmente en términos de calidad y satisfacción.

Una nueva cristología

Cada vez que tememos que reducir nuestro rendimiento de 120 por ciento a 100 por ciento significa que nos estamos volviendo perezosas, resulta útil reflexionar acerca de cómo Cristo experimentó la limitación. Siendo Dios, nunca había conocido ninguna limitación. Siendo hombre, experimentó todas las limitaciones humanas normales.

---

64. Jerry Bridges, *Transforming Grace: Living Confi•ently in Go•'s Unfailing Love* (Colorado Springs: NavPress, 1991), 73. Citado en Paul Tautges, «Freedom from the Performance Treadmill», *Counseling One Another*, marzo 19, 2016, http://counselingoneanother.com/2016/03/ 19/freedom-from-the-performance-treadmill-2/.

Si él puede aceptar semejante cambio en sus limitaciones, ¿cuánto más deberíamos poder nosotros? Aceptar y sujetarnos a nuestras limitaciones debería traernos más cerca de Cristo y darnos un nuevo entendimiento de la humanidad de Cristo. Como lo expresa Brad Andrews (con mis agregados entre corchetes):

> Solo podemos descansar en nuestra finitud cuando vemos que Jesús se limitó a sí mismo abandonando la cultura de la Trinidad e ingresando a la cultura del hombre por nuestro bien. Su acto de encarnación y redención resuelve nuestra necesidad de significado en este lado de la eternidad. Los líderes saludables [incluyendo a las mujeres] aceptan sus límites porque, al mirar a Jesús, vemos la máxima limitación: Dios haciéndose carne y sangre para concedernos un rescate espiritual. Y al descansar en esta verdad, podemos permitir que aquel que es ilimitado y su gracia ilimitada nos concedan coraje para ser el líder limitado que somos y, a la larga, que florezcamos para el bien de nuestras iglesias [y de nuestra familia] y del evangelio[65].

Una nueva esperanza

Al comenzar nuestro camino a través del Gimnasio *Renueva tu vi•a* estábamos abatidas, desanimadas, cansadas y tristes. Todo lo que podíamos ver era fracaso al rodar desde un ítem en nuestro listado de tareas pendientes al siguiente, y nos sentíamos como un prisionero en las canteras heladas de Siberia simplemente pasando de una pared rocosa de hielo a la siguiente. Congeladas, frías, desesperanzadas. La carrera de nuestra vida, lejos de verse como la de una corredora

65. Brad Andrews, «Limitless Grace for Limited Leaders», *For the Church*, febrero 29, 2016, http://ftc.co/resource-library/1/1933.

confiada a punto de recibir una corona, se parecía más a la de una corredora novata en un maratón, cayendo muerta de cansancio al entregar su mensaje.

Ahora, habiendo pasado por el Gimnasio *Renueva tu vi•a,* enfrentamos el futuro con una nueva esperanza y una nueva confianza. La gracia ha reemplazado el ajetreo. La alegría ha reemplazado la tristeza. Habiendo experimentado una mini resurrección del agotamiento, enfrentamos el futuro con una renovada esperanza.

Hemos visto su poder rescatándonos de nuestros pecados. Ahora hemos visto su poder que nos rescató de la tumba del agotamiento y nos transformó. Aunque enfrentaremos amenazas en el futuro, ahora sabemos dónde correr, cómo correr y sobre todo hacia quién correr. Lo que ha hecho en el pasado, puede hacerlo y lo hará nuevamente.

Y cuando nuestro porvenir haya pasado y amanezca el día de nuestra resurrección definitiva, él nos elevará a la perfección. Nuestros clamores buscando a nuestro Padre celestial serán reemplazados con un abrazo de alegría interminable. ¡Ya no estaremos agotadas, sino que seremos un esplendor refulgente a la diestra de Dios! Ese es el horizonte que debemos mantener siempre a la vista: no el próximo pañal, o la próxima reunión, el próximo viaje de negocios, o la próxima comida, sino la próxima vida.

Corramos de manera que podamos decir: «He peleado la buena batalla, he acabado la carrera, he guardado la fe. Por lo demás, me está reservada la corona de justicia, que en aquel día me dará el Señor, el juez justo; y no sólo a mí, sino también a todos los que aman su venida» (2Ti 4:7–8).

Agradecimientos

Agradecemos a todo el equipo de Crossway por la oportunidad de escribir este libro y por toda la ayuda que nos han brindado a lo largo del proceso. Estamos especialmente agradecidos de Justin Taylor por concedernos el ímpetu creativo y a Lydia Brownback por su talento editorial que nos llevó a lograr un producto final mucho mejor. Por sobre todo, agradecemos a Dios por su gracia no sólo en salvarnos, y no sólo en hacernos atravesar muchos mares profundos y valles oscuros, sino por las lecciones que nos ha enseñado en el camino y por la manera en que ha obrado todas las cosas para nuestro bien y para su gloria.

Índice de temas

Índice de pasajes bíblicos

Made in the USA
Monee, IL
10 May 2022